2020 写真でみる注目の人物

安倍晋三（あべしんぞう）

日本の前内閣総理大臣。2012年に首相に返り咲き、2020年8月には佐藤栄作を抜いて、首相の在任期間が歴代最長に。その4日後に持病の悪化を理由に辞意を表明し、9月に辞任。

菅義偉（すがよしひで）

日本の内閣総理大臣。安倍首相の辞意表明にともない2020年9月に行われた、その後継を選ぶ自民党総裁選挙で勝利し新首相に就任。2019年4月1日には安倍内閣の官房長官として新元号「令和」を発表した。

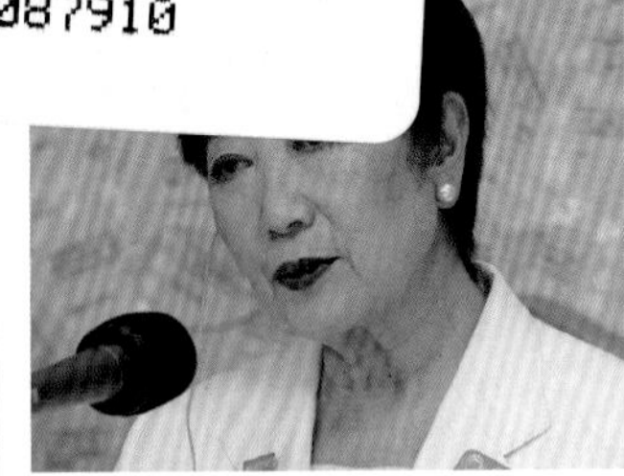

小池百合子（こいけゆりこ）

東京都知事。2016年に女性初の都知事に就任し、2020年7月の都知事選挙で再選。新型コロナウイルス感染者の抑制、延期された東京五輪への対応、ひっ迫する財政など山積する課題を前に、指導力が問われる。

ドナルド・トランプ

第45代アメリカ合衆国大統領。アメリカの国益を最優先するアメリカ第一主義を掲げ、世界の枠組みに影響を与える方針を次々と打ち出す。2020年11月の大統領選挙では、共和党候補として2期目をめざす。

ジョー・バイデン

2009年から8年間、オバマ政権の副大統領を務めた。民主党候補として、2020年11月の大統領選挙でトランプ大統領に挑む。副大統領候補に黒人女性のハリス上院議員を選出した。

ボリス・ジョンソン

イギリス首相。メイ首相の辞任にともない、2019年7月に首相に就任した。最優先課題はEU離脱。交渉の末、2020年1月31日、イギリスはEUから離脱し、移行期間（2020年12月31日まで）に移った。

習近平（しゅうきんぺい）

中国の最高指導者で、国家主席。「香港国家安全維持法」の導入をきっかけに再燃した抗議デモで混乱する香港問題を抱える。中米の間では、南シナ海の海洋権益を巡りつばぜり合いが続いている。

蔡英文（さいえいぶん）

台湾総統。2020年1月の総統選挙で史上最多の得票数で再選。5月に中国と距離を置く与党・民進党の主席に復帰。「中台は共に一つの中国」という原則主義を強めた中国の習近平政権との対立が深刻化している。

テドロス・アダノム

第8代世界保健機関（WHO）事務局長。エチオピアの保健大臣や外務大臣を歴任。初動対応が鈍かったなどの批判もあるが、新型コロナウイルスとの闘いの最前線に立ち、その対策や警戒情報を世界に発信している。

2020 ニュースグラビア

安倍政権から菅新政権へ

安倍前首相（左）に花束を贈る菅義偉首相（右）。

▶詳しいニュース解説は24ページ

緊急事態宣言の発令

新型コロナウイルスの感染拡大による緊急事態宣言が出されてから１週間。人通りの少ない渋谷のスクランブル交差点（４月14日東京都渋谷区・時事通信ヘリコプターより）。

▶詳しいニュース解説は18ページ

アメリカ大統領選挙

▶詳しいニュース解説は38ページ

アメリカ大統領選の立候補者、共和党のトランプ大統領（左）と民主党のバイデン候補（右）。

令和２年７月豪雨

記録的な大雨で冠水した熊本県人吉市街（７月４日・時事通信ヘリコプターより）。

▶詳しいニュース解説は22・70ページ

イギリス、EU離脱

▶詳しいニュース解説は42ページ

英国の欧州連合（EU）離脱が実現し、英国旗が掲げられたロンドンの議会前広場で「離脱の日」を祝う人々（1月31日）。

高輪ゲートウェイ駅開業

開業したJR山手線の新駅「高輪ゲートウェイ」（3月16日撮影・東京都港区）。

▶詳しいニュース解説は54ページ

無人補給機「こうのとり」

▶詳しいニュース解説は78ページ

国際宇宙ステーションに物資を運ぶ無人補給機「こうのとり」を載せ、打ち上げられたH2Bロケット9号機（5月21日鹿児島・種子島宇宙センター、朝日新聞社機より・朝日新聞社／時事通信フォト）

レジ袋有料化開始

コンビニのレジで、プラスチック製レジ袋が有料化したことを知らせる掲示（7月1日・大阪市）。

▶詳しいニュース解説は50ページ

パート1

日本の政治と国際情勢

このコーナーでは、トピック先生が、ゆうまくんと、りかちゃんにわかりやすくニュースを解説してくれる。まずは、2020年の国内の政治と国際情勢の大きな流れをつかんでおこう。

8月28日安倍首相が辞任会見

安倍首相は在任最長記録を更新したばかりだったのに残念だね。

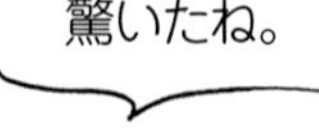

持病が悪化しての
辞任だった。
さまざまな政治課題を
どう解決するか、
新首相の菅さんに期待だ。

新型コロナウイルス感染症（COVID-19）は
昨年末、中国の武漢で発生した。

中国
湖北省
武漢

2月には横浜港に停泊したクルーズ船
「ダイヤモンド・プリンセス号」で
クラスター（集団感染）が発生した。

その後、外国人観光客や
海外からの帰国者などから
あっという間に日本全国に
広まった。

3月2日から春休みまで
全国の小・中・高校などに
臨時休校を要請します。

急に学校が休みになったから驚いたね。

卒業式など学校行事の規模を縮小したところが多かったみたいだよ。

パンデミック（感染症の世界的大流行）とみなせる。

7月から開催予定だった東京オリンピック・パラリンピックは1年延期になった。

新型コロナウイルス感染拡大に伴い、政府は4月7日に東京、神奈川、大阪など7都府県に※1緊急事態宣言を発令し、4月16日にその対象を全国に拡大した。

劇場やライブハウス、医療施設や介護施設などさまざまな場所で、クラスターが起こった。

ポリメラーゼ連鎖反応（Polymerase Chain Reaction）の頭文字からPCRというよ。コロナウイルスの遺伝子を調べるものだ。

誰でも受けることができる国もあったが、日本は症状のある人や濃厚接触者だけを検査し、クラスター対策を行った。

多くの国はロックダウンという都市封鎖を行ったが、感染を完全に食い止めるのは難しかった。

中国はいち早く実施して感染を抑え込んだと発表している。

アメリカなどは多くの感染者・死者※2を出すことになった。

その他にもブラジルやインドで感染者・死者が多いよ。

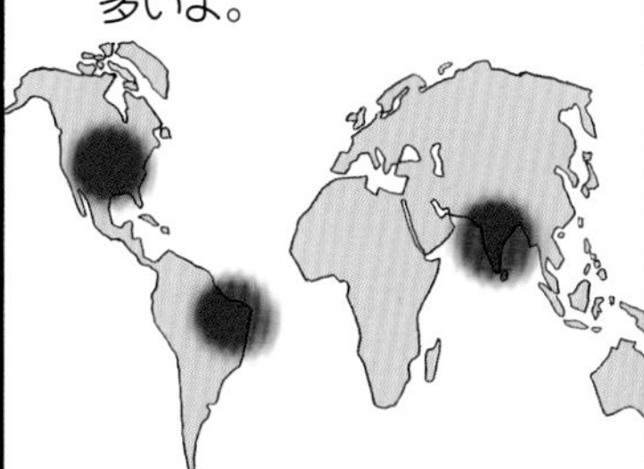

日本はロックダウンをしなかったけれど、死亡した人は他国よりも少ないといわれている。

日本は清潔だし、手洗いやマスクの習慣もあり、3密（密閉・密集・密接）を避け、自粛をしたことがその要因とされているけど、はっきりとした理由はまだわかっていないんだ。

※1　**緊急事態宣言**：政府は、4月7日に発令した緊急事態宣言では7都府県を対象・期限は5月6日までと予定していたが、4月16日に全国47都道府県へ対象を拡大し期限は5月31日までに延長。5月に入り感染が抑え込まれたため、緊急事態宣言を5月14日に39県で解除、5月25日に全国で解除した。

※2　**感染者・死者**：2020年9月14日時点で、アメリカは感染者が6,519,573人・死者が194,071人、ブラジルは感染者が4,330,455人・死者が131,625人、インドは感染者が4,754,356人・死者が78,586人。

※３　**アマビエ**：江戸時代から日本に伝わる妖怪で、その姿を描き写すことで、疫病の流行を防ぐご利益があるとされている。長髪でクチバシがあり、胴体には魚のようなウロコがあると言われている。今年SNS上では、新型コロナウイルスが早く終息するように、「アマビエ」を描く投稿が目立った。

※４　**ソーシャルディスタンス**：社会的距離。新型コロナウイルスの感染経路の一つである飛沫感染は、くしゃみや咳によるしぶきによるもの。厚生労働省では、このしぶきが到達しない保つべき距離として、相手との距離を２ｍ程（最低でも１ｍ）取ることを推奨している。

コロナ禍の中でも東京都知事選があり、小池都知事が再選された。

東京では、3月にJR山手線の新駅「高輪ゲートウェイ」が開業した。山手線では1971年に開業した西日暮里駅以来の新駅だ。

アメリカでは、11月に大統領選挙があるね。

共和党のトランプ氏と民主党のバイデン氏の対決になった。

バイデン氏の副大統領候補には黒人で女性のカマラ・ハリス氏が指名されて注目が集まったね。

アメリカでは、黒人への暴力や人種差別が大きな問題になっている。

香港では中国が一国二制度※5を脅かすことに抗議活動が続いているよ。

香港の民主化を求める周庭（英語名アグネス・チョウ）氏が逮捕された。周庭氏は保釈されたけど、その後も中国の取り締まりは続いている。

中東では、関係が悪かったイスラエルと、UAE・バーレーンの国交が、アメリカの仲介で正常化した。

今年もいろいろな出来事があったけれど、新型コロナウイルスの影響が大きい1年だったね。

お父さんは通勤しなくなってテレワークをしているよ。

COVID-19のワクチンや治療薬が早く開発されるといいね。

※5　**一国二制度**：社会主義国の中国が、自由主義・資本主義を採る地域を統治するための制度。香港は中国の特別行政区であり、1997年の返還から50年間は「一国二制度」が保証されていた。しかし、今年「香港国家安全維持法」が成立し、その約束は破られてしまった。

パート2
2020 年のおもな出来事

2020年は、感染症、気象、自然災害、宇宙に関する話題もあった。
トピック先生とふりかえりながら、理科の学習にもつなげていこう。

新型コロナウイルス蔓延

形が王冠（ギリシャ語でコロナ）のように見えることからコロナウイルスと呼ばれる。

SARS や MERS[※1] と同じくこのウイルスは動物からヒトに、ヒトからヒトにも伝染するよ。

ウイルスはとても小さくて細胞をもたず、生物の細胞に寄生し増殖することでさまざまな病気を引き起こす。

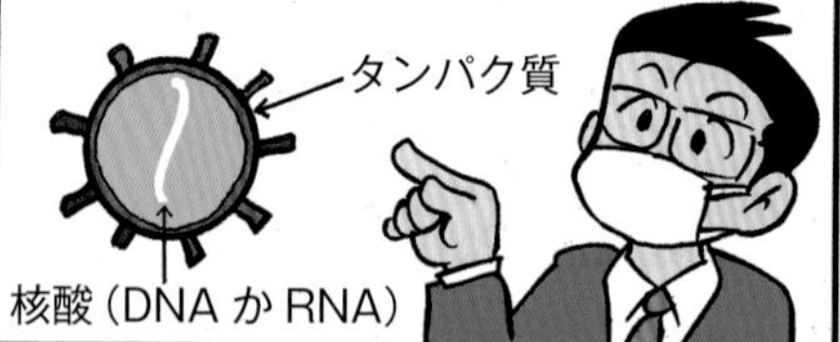

新型コロナウイルスにはまだワクチンがないため全世界に広まった。

重症化すると肺炎になり死亡することもあるけど、致死率はSARS や MERS に比べ低いともいわれている。

インフルエンザと同じく手洗いや消毒で防ぐことができる。

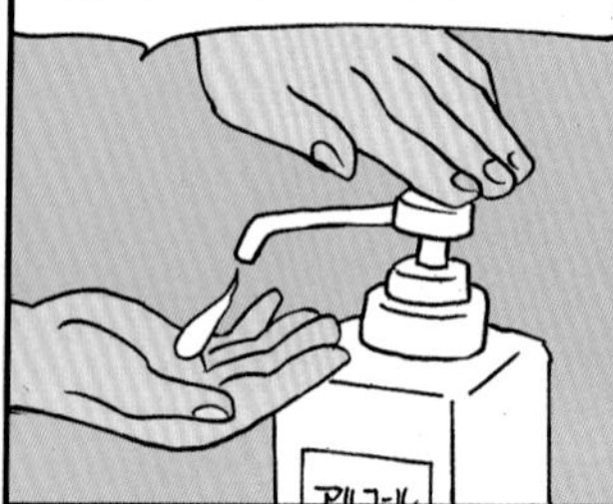

マスクも効果的といわれている。

夏でもマスクをするのは大変だったね。

7月は涼しかったのに、今年の8月は猛暑だったね。

熱中症も多かったうえ、新型コロナと同じような症状なので対応が大変だった。

浜松では41.1℃と過去の熊谷の最高気温と並んだ。

※1　SARS や MERS：SARS（重症急性呼吸器症候群）は2002年以降に流行し、世界で感染者8,000人超、死者774人。MERS（中東呼吸器症候群）はサウジアラビアで確認され、2012年以降に世界に広がった。

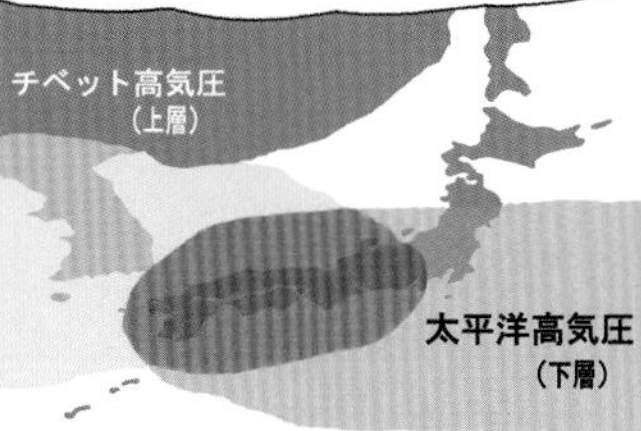

太平洋高気圧とチベット高気圧が日本上空で重なったからだ。
チベット高気圧
（上層）
太平洋高気圧
（下層）

圧力も加わり暑さに拍車がかかったんだ。まるで厚いかけぶとんを二枚重ねたようだね。
暑いはずだ。

フェーン現象が起こり、浜松あたりに暖められた空気が流れ込んだ。
各地でゲリラ豪雨もあったよ。
フェーン現象
浜松

7月は雨ばかりで、豪雨も起こって九州や山形で大洪水が起こった。9月には台風被害もあったよ。
ザァァァァ

シベリアでは6月が高温になったね。
38℃

異常気象なのかなあ。

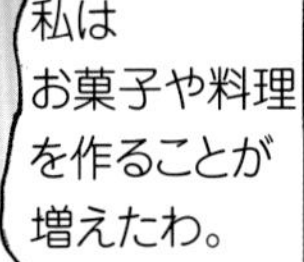

異常といえばアフリカでバッタの大群も発生したよ。

新型コロナウイルスの拡大で、春から臨時休校が長く続いたね。
自宅でオンライン授業を受ける機会が増えたよ。

休校期間中はどんな風に過ごしていたの？

映画や動画を見たり、本を読んだりすることが多かったよ。
私はお菓子や料理を作ることが増えたわ。

外に出かけたり、旅行に行ったりするのは難しい面があるよね。ただ、社会活動・経済活動と感染症対策の両立が必要だよ。

各地でイベントがなくなり海開きも富士登山も中止になった。

プロ野球は開幕が遅れたし、スポーツの大会はほとんどが中止になった。

７月のネオワイズ彗星は日本でも見られた。

知らなかった。

※２　**金環日食**：地球と月の距離が離れているために、月の見かけの直径が太陽より小さく、太陽が明るい輪のように見える。

7月には
関東で火球が見られた。

※3　**火星が準大接近**：火星は太陽系の惑星で、内側から4番目の公転軌道を周回している第4惑星。火星と地球の軌道と公転周期がずれているため、毎年接近するわけではない。2020年10月の準大接近は、2018年7月末の大接近以来・約2年2か月ぶりの接近。

※4　**ISS**：国際宇宙ステーションのことで、日本やアメリカ、カナダ、ロシア、ヨーロッパの国々など15か国が共同で地上400km上空に建設した有人実験施設。実験、研究、天体の観測などを行う。日本の実験棟「きぼう」も接続されている。

ひと目でわかる日本の世界遺産

2020年の世界遺産の登録・審査は延期

ユネスコ（UNESCO）は新型コロナウイルスの世界的感染拡大を受けて、6月から中国で予定されていた世界遺産委員会の開催延期を決めました。このため自然遺産候補だった日本の「奄美大島、徳之島、沖縄島北部及び西表島」（鹿児島・沖縄）の登録・審査も延期となりました。

2019年登録 世界遺産「百舌鳥・古市古墳群」

2019年7月に世界文化遺産に登録されたのが**大阪府にある「百舌鳥・古市古墳群」**です。

百舌鳥・古市古墳群は大阪府堺市・羽曳野市・藤井寺市に広がる大小49基の古墳を対象にしたもので、その中には「仁徳天皇陵」とされる世界最大級の墳墓である「大山古墳（大仙古墳）」も含まれています。これらの古墳群は4世紀後半から5世紀後半に築造されたもので、大規模な前方後円墳が集中しています。今回の登録にあたっては、「古墳時代の社会・政治構造や埋葬の伝統を証明するもの」と評価されました。

これで日本の世界遺産は23件（文化遺産が19件、自然遺産が4件）となりました。

2018年は長崎県と熊本県の「長崎と天草地方の潜伏キリシタン関連遺産」が登録

2018年には、**長崎県と熊本県の「長崎と天草地方の潜伏キリシタン関連遺産」**が世界文化遺産に登録されました。

登録された関連遺産は、1637年の島原・天草一揆でキリシタンらが立てこもった「原城跡」（長崎県南島原市）や漁村特有の信仰形態が続いた「天草の﨑津集落」（熊本県天草市）、現存する国内最古の教会「大浦天主堂」（長崎市）など12の資産で構成されています。

江戸時代のキリスト教の弾圧の中でひそかに信仰を守り続けてきた希少な宗教文化が評価されての登録です。

●世界遺産とは？

世界には、歴史的に重要な建造物や貴重な自然環境が数多くあります。しかし、その中には戦争や環境汚染、自然災害によって破壊・破損の危機にさらされているものも少なくありません。そのため、1972年に**ユネスコ（UNESCO：国連教育科学文化機関）**で「**世界遺産条約**」が採択され、価値のある文化的建造物や自然を人類共通の宝物（世界遺産）として保護し、後世に受け継いでいこうという取り組みが世界レベルで行われるようになりました。

世界遺産は大きく3つに分類され、文化的に価値のある建造物・遺跡などの「**文化遺産**」、貴重な地形や景観、生態系を持つ「**自然遺産**」、その両方の要素を兼ね備えている「**複合遺産**」があります。また、その中には広島県の原爆ドームやポーランドのアウシュビッツ強制収容所、マーシャル諸島のビキニ環礁などのように、「人類は戦争や人種差別といったあやまちを二度とくり返してはならない」という意味をこめて受け継ぐ「負の遺産」と呼ばれるものもあります。

■大山古墳（大仙古墳、手前）などがある百舌鳥古墳群。

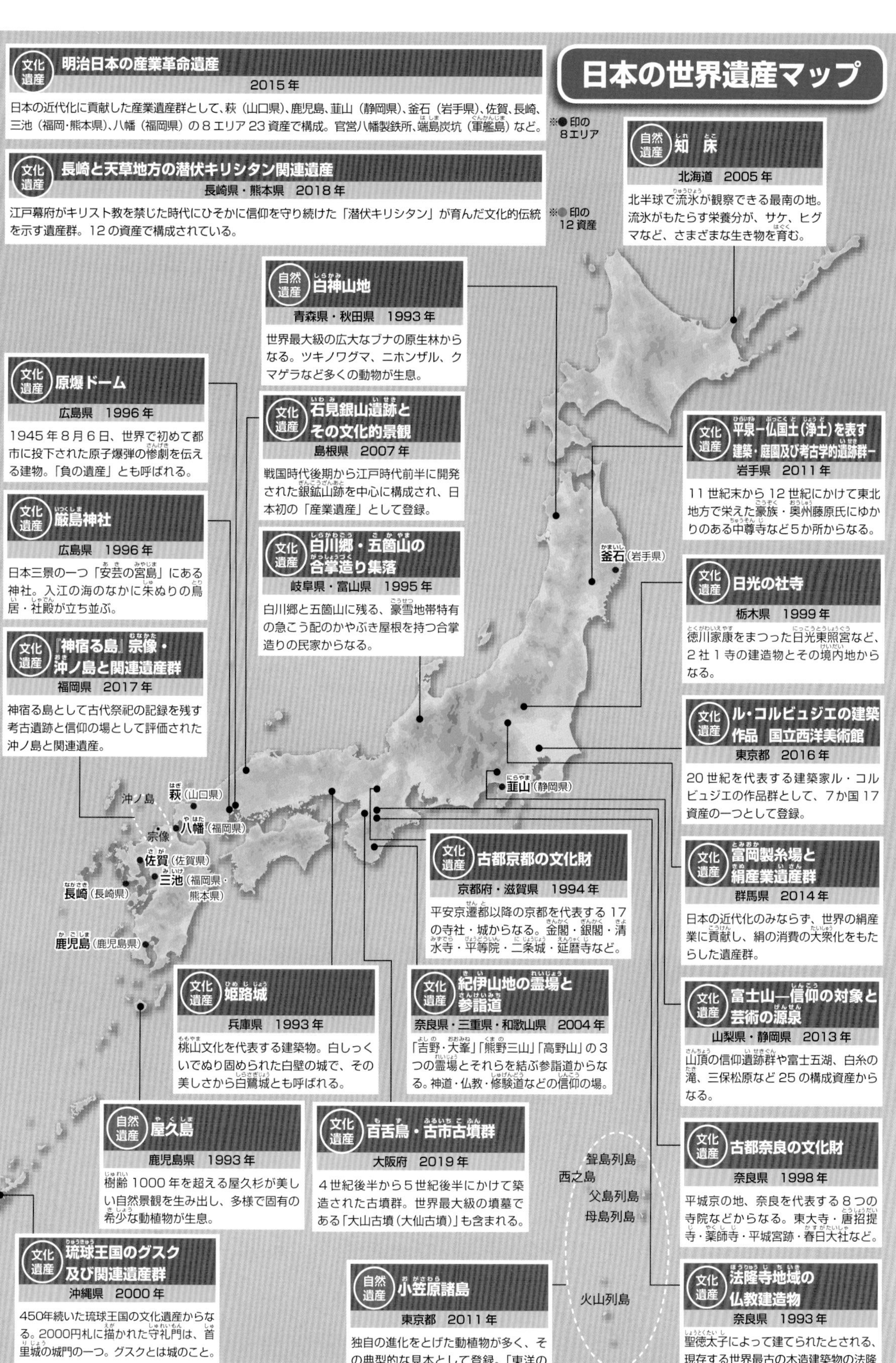
日本の世界遺産マップ
文化遺産 明治日本の産業革命遺産
2015年
日本の近代化に貢献した産業遺産群として、萩（山口県）、鹿児島、韮山（静岡県）、釜石（岩手県）、佐賀、長崎、三池（福岡・熊本県）、八幡（福岡県）の８エリア23資産で構成。官営八幡製鉄所、端島炭坑（軍艦島）など。
※●印の８エリア
文化遺産 長崎と天草地方の潜伏キリシタン関連遺産
長崎県・熊本県 2018年
江戸幕府がキリスト教を禁じた時代にひそかに信仰を守り続けた「潜伏キリシタン」が育んだ文化的伝統を示す遺産群。12の資産で構成されている。
※●印の12資産
自然遺産 知床
北海道 2005年
北半球で流氷が観察できる最南の地。流氷がもたらす栄養分が、サケ、ヒグマなど、さまざまな生き物を育む。
自然遺産 白神山地
青森県・秋田県 1993年
世界最大級の広大なブナの原生林からなる。ツキノワグマ、ニホンザル、クマゲラなど多くの動物が生息。
文化遺産 原爆ドーム
広島県 1996年
1945年８月６日、世界で初めて都市に投下された原子爆弾の惨劇を伝える建物。「負の遺産」とも呼ばれる。
文化遺産 石見銀山遺跡とその文化的景観
島根県 2007年
戦国時代後期から江戸時代前半に開発された銀鉱山跡を中心に構成され、日本初の「産業遺産」として登録。
文化遺産 平泉－仏国土（浄土）を表す建築・庭園及び考古学的遺跡群－
岩手県 2011年
11世紀末から12世紀にかけて東北地方で栄えた豪族・奥州藤原氏にゆかりのある中尊寺など５か所からなる。
文化遺産 厳島神社
広島県 1996年
日本三景の一つ「安芸の宮島」にある神社。入江の海のなかに朱ぬりの鳥居・社殿が立ち並ぶ。
文化遺産 白川郷・五箇山の合掌造り集落
岐阜県・富山県 1995年
白川郷と五箇山に残る、豪雪地帯特有の急こう配のかやぶき屋根を持つ合掌造りの民家からなる。
釜石（岩手県）
文化遺産 日光の社寺
栃木県 1999年
徳川家康をまつった日光東照宮など、２社１寺の建造物とその境内地からなる。
文化遺産 『神宿る島』宗像・沖ノ島と関連遺産群
福岡県 2017年
神宿る島として古代祭祀の記録を残す考古遺跡と信仰の場として評価された沖ノ島と関連遺産。
文化遺産 ル・コルビュジエの建築作品 国立西洋美術館
東京都 2016年
20世紀を代表する建築家ル・コルビュジエの作品群として、７か国17資産の一つとして登録。
沖ノ島
萩（山口県）
宗像
八幡（福岡県）
佐賀（佐賀県）
三池（福岡県・熊本県）
長崎（長崎県）
鹿児島（鹿児島県）
韮山（静岡県）
文化遺産 古都京都の文化財
京都府・滋賀県 1994年
平安京遷都以降の京都を代表する17の寺社・城からなる。金閣・銀閣・清水寺・平等院・二条城・延暦寺など。
文化遺産 富岡製糸場と絹産業遺産群
群馬県 2014年
日本の近代化のみならず、世界の絹産業に貢献し、絹の消費の大衆化をもたらした遺産群。
文化遺産 姫路城
兵庫県 1993年
桃山文化を代表する建築物。白しっくいでぬり固められた白壁の城で、その美しさから白鷺城とも呼ばれる。
文化遺産 紀伊山地の霊場と参詣道
奈良県・三重県・和歌山県 2004年
「吉野・大峯」「熊野三山」「高野山」の３つの霊場とそれらを結ぶ参詣道からなる。神道・仏教・修験道などの信仰の場。
文化遺産 富士山―信仰の対象と芸術の源泉
山梨県・静岡県 2013年
山頂の信仰遺跡群や富士五湖、白糸の滝、三保松原など25の構成資産からなる。
自然遺産 屋久島
鹿児島県 1993年
樹齢1000年を超える屋久杉が美しい自然景観を生み出し、多様で固有の希少な動植物が生息。
文化遺産 百舌鳥・古市古墳群
大阪府 2019年
４世紀後半から５世紀後半にかけて築造された古墳群。世界最大級の墳墓である「大山古墳（大仙古墳）」も含まれる。
文化遺産 古都奈良の文化財
奈良県 1998年
平城京の地、奈良を代表する８つの寺院などからなる。東大寺・唐招提寺・薬師寺・平城宮跡・春日大社など。
聟島列島
西之島
父島列島
母島列島
火山列島
文化遺産 琉球王国のグスク及び関連遺産群
沖縄県 2000年
450年続いた琉球王国の文化遺産からなる。2000円札に描かれた守礼門は、首里城の城門の一つ。グスクとは城のこと。2019年10月末に発生した火事で正殿などが焼失。
自然遺産 小笠原諸島
東京都 2011年
独自の進化をとげた動植物が多く、その典型的な見本として登録。「東洋のガラパゴス」とも呼ばれている。
文化遺産 法隆寺地域の仏教建造物
奈良県 1993年
聖徳太子によって建てられたとされる、現存する世界最古の木造建築物の法隆寺と法起寺の仏教建築物からなる。

国立公園

◀絶滅のおそれが高い「ヤンバルクイナ」［環境省提供］

2016年に沖縄県の本島北部に誕生し、2018年6月に公園区域が拡大された「**やんばる国立公園**」は、沖縄県本島の北部の森林や海域で構成され、世界的にも少ない**亜熱帯照葉樹林**が広がる自然豊かな地域です。中でも絶滅のおそれがある鳥類である**ヤンバルクイナ**や**ノグチゲラ**などの固有種が生息する自然環境が特徴です。

2017年３月には「**奄美群島国立公園**」(**鹿児島県**)が誕生し、現在日本には34の国立公園があります。

2017年８月には阿寒国立公園の区域が広がり、「**阿寒摩周国立公園**」に名称が変更されました。

●国立公園とは？

国立公園は、日本のすぐれた自然の風景地を保護するとともにその利用の増進を図り、国民の保健・休養に役立てることを目的としています。国定公園が都道府県に管理を委託されるのに対し、国立公園は国(**環境省**)が管理します。

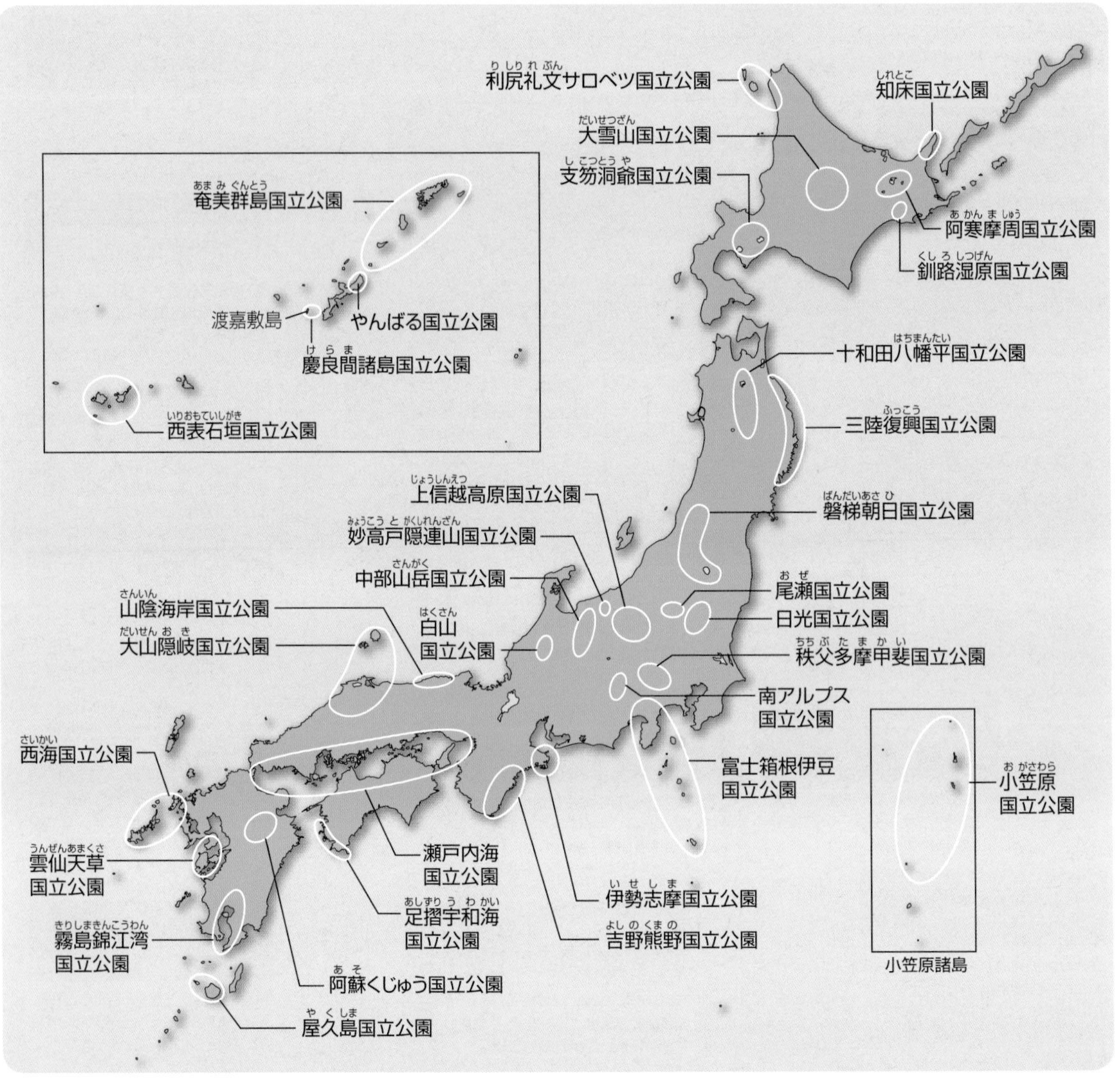

利尻礼文サロベツ国立公園
知床国立公園
大雪山国立公園
支笏洞爺国立公園
阿寒摩周国立公園
釧路湿原国立公園
奄美群島国立公園
渡嘉敷島
やんばる国立公園
慶良間諸島国立公園
西表石垣国立公園
十和田八幡平国立公園
三陸復興国立公園
上信越高原国立公園
磐梯朝日国立公園
妙高戸隠連山国立公園
中部山岳国立公園
尾瀬国立公園
山陰海岸国立公園
白山国立公園
日光国立公園
大山隠岐国立公園
秩父多摩甲斐国立公園
南アルプス国立公園
西海国立公園
富士箱根伊豆国立公園
小笠原国立公園
雲仙天草国立公園
瀬戸内海国立公園
足摺宇和海国立公園
伊勢志摩国立公園
霧島錦江湾国立公園
吉野熊野国立公園
小笠原諸島
阿蘇くじゅう国立公園
屋久島国立公園

2021入試用
ニュース解説
もくじ

猛威をふるう新型コロナウイルス

●世界中で感染が拡大する感染症
●日本全国に「緊急事態宣言」を発令
●感染拡大防止対策に新生活様式

国内線保安検査場入り口で始まったサーモグラフィーによる搭乗者の体温確認（4月17日、羽田空港　朝日新聞社／時事通信フォト）。

新型コロナウイルスの感染拡大を防ぐには？

◆新型コロナウイルスの脅威が世界に。オリンピック・パラリンピックは延期

2019年末に中国の武漢市で最初に感染が広がった**新型コロナウイルス**は、またたく間に世界中に拡大しました。この**感染症**の流行は、世界中の政治や経済、文化、教育などあらゆる分野に大きな影響を与え、私たちはこれまでに経験したことのない危機に直面しています。

日本では2020年１月16日に国内初の感染者が確認され、あっという間に深刻な状況になりました。政府は、２月末感染拡大を防ぐために日本全国の小・中・高校などの学校を３月２日から一斉に休校とすることを要請しました。クラスターが発生するのを防ぐため、大勢の人が集まるスポーツや文化的なイベントも次々と中止になりました。

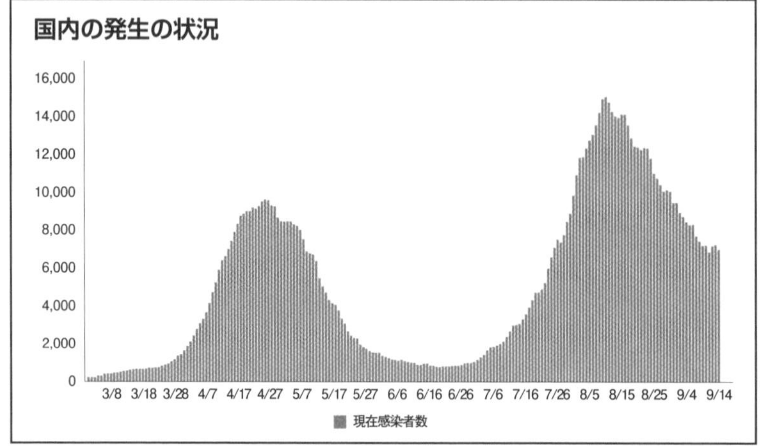

データ提供 ：JX通信社/FASTALERT

●コロナウイルスとは?
コロナとは、ギリシャ語で「王冠」を意味する言葉である。このウイルスの形が王冠に似ていることからその名前がついたと言われている。コロナウイルスには、いろいろな種類があるが、今回は新しいタイプのコロナウイルスである。そのため、ウイルスの特徴や性質など詳細は専門家でもわかっていないことが多く、2020年９月時点ではまだ治療法や予防法が確立していない。

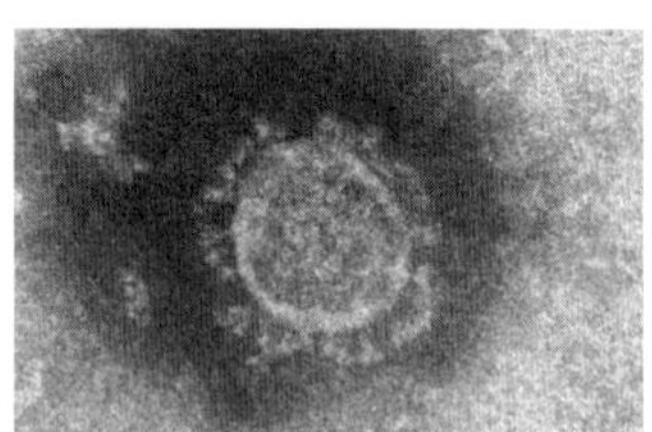

▲新型コロナウイルス
［日本の国立感染症研究所提供］

●クラスター
もとの意味は「同種のものや人の集まり。群れ。かたまり」。新型コロナウイルス関連の話題では、小規模な「集団感染」や、それによってできた「感染者の集団」を指す。

【日本の感染状況】

感染者数　75,657人
死亡者数　1,442人
(9月14日現在)

【国外の感染状況】

世界の累計感染者数
(9月14日 時点　WHO発表)

28,874,116人

感染者数の多い主な国

◎ アメリカ　(6,519,573人)
◎ インド　(4,754,356人)
◎ ブラジル　(4,330,455人)
◎ ロシア　(1,059,024人)
◎ ペルー　(722,832人)
◎ コロンビア　(716,319人)

●保健所の仕事とは?

新型コロナウイルス対応で注目されたのが保健所である。保健所は都道府県、政令指定都市などに設置されている行政機関。感染症などの対応をはじめ食品衛生、市民の健康づくりや母子保健、生活習慣病、狂犬病予防など多岐にわたる仕事をしている。医師、保健師、看護師、薬剤師、獣医師、栄養士、理学療法士など数多くの専門職が仕事に携わっている。

●WHO(世界保健機関)とは?

1948年に設立された国連の専門機関。本部はスイスのジュネーブ。事務局長はテドロス氏。すべての人々の健康を増進し保護するため互いに他の国々と協力するのが目的。

●パンデミック

同じ感染症が短期間に、世界的に大流行すること。語源はギリシャ語で、パンは「すべて」、デミアは「人々」を意味する。「感染爆発」などともいい、国境を超えて感染が広がり、コントロール不能になった状態を指す。WHO(世界保健機関)は2020年3月、新型コロナウイルスについて「パンデミックとみなせる」と表明した。

【新型コロナウイルス関連のおもな動き(〜2020年7月末まで)**】**

2019年末	中国の武漢市で原因不明のウイルス性肺炎が確認され、中国国内に感染が拡大。
1月16日	日本で初の感染者を確認。
1月30日	世界保健機関(WHO)が「国際的に懸念される公衆衛生上の緊急事態宣言」を発表。
2月21日	日本での感染者が100人を超える。
2月27日	安倍首相、全国の小・中・高校などに臨時休校を要請する。
3月11日	世界保健機関(WHO)「パンデミック(感染症の世界的大流行)」を表明。
3月13日	新型コロナ対策の改正特別措置法が成立。
3月24日	2020東京オリンピック・パラリンピックの開催延期が発表される。
4月7日	政府、史上初の緊急事態宣言(7都府県)を発令。
4月16日	政府、緊急事態宣言を全国に拡大。
4月18日	日本での感染者が1万人、死者数200人を超える。
5月10日	世界全体の感染者数が400万人を超える。
5月14日	政府、東京・大阪などを除く39県で緊急事態宣言を解除。
5月25日	政府、緊急事態宣言を全国で解除。
6月12日	新型コロナウイルスへの対策を盛り込んだ第二次補正予算が成立。
7月22日	観光業を支援する「Go To トラベル」キャンペーンが東京を除いてスタート。

3月11日には**世界保健機関(WHO)**は、「**パンデミック(感染症の世界的大流行)**」を表明しました。3月24日には、この夏に開催予定だった**東京オリンピック・パラリンピックの延期**も発表され、3月31日には2021年夏に延期すると発表されました。

◆史上初の「緊急事態宣言」を全国に発令

新型コロナウイルスの感染拡大で特に心配されているのが医療機関が機能しなくなる医療崩壊です。感染者が急増すると医療体制が維持できなくなるからです。医師や看護師などの医療従事者は感染の危険がともなう中で医療業務に取り組んでいます。

感染症の拡大にともない、日本では4月7日、7都府県に「**緊急事態宣言**」が発令され、4月16日には日本全国を対象に発令されました。緊急事態宣言の発令は日本では史上初のことです。

緊急事態宣言の発令によって、不要不急の外出は控え、多くの企業がテレワークや自宅勤務、時差出勤などに働き方を切り替えました。飲食店も休業や営業時間の短縮など感染拡大防止に協力。5月の連休中も他の地域への感染を防ぐために旅行や帰省などの自粛が求められ、多くの国民はスーパーやコンビニなどへの日用品の買い物を除いて多くの時間を自宅で過ごすことになりました。各観光地や繁華街は閑散とし、高速道路の渋滞もなく、例年のゴールデンウィークとはまったく異なるようすでした。こうした国民の協力もあって日本での爆発的な感染は回避され、感染者数は一時落ち着きを見せていきました。

社会活動がストップすると経済に大きな影響を及ぼすため、5月14日には東京や大阪などを除く39の県で緊急事態宣言は解除され、5月25日には全国で解除されました。その後も東京や大阪、福岡といった大都市を中心に感染者が増加し、まだまだ油断はできない状況ですが、経済活動を動かしていくことも考えなければなりません。

感染症について知ろう！

【感染症とは？】

感染症とは、病原体が体に侵入して、症状が出る病気のことです。病原体は大きさや構造によって細菌、ウイルス、真菌、寄生虫などに分類されます。

病気を引き起こす細菌には、大腸菌や黄色ブドウ球菌などが知られていますが、納豆菌などのように人に有用な細菌も存在します。

ウイルスは、細菌よりもはるかに小さく（大きさは細菌の1/100～1/10）、自分で細胞を持ちません。そのため他の細胞に入り込み、増殖していきます。病気を起こすウイルスとしてインフルエンザウイルスやノロウイルスなどがよく知られています。

【感染症の歴史】

14世紀中ごろ	中世ヨーロッパでペストが大流行。
1918年～	「スペイン風邪」が大流行。当時の世界人口の約4分の1に当たる5億人が感染。
2002年～	SARS（重症急性呼吸器症候群）が流行。世界で感染者8,000人超、死者774人。
2012年～	MERS（中東呼吸器症候群）はサウジアラビアで確認され、世界に広がる。

人類の歴史は感染症との戦いの歴史でもあると言えます。

代表的な感染症は、「ペスト」「天然痘」「コレラ」「インフルエンザ」、最近では「エボラ出血熱」などが挙げられます。

中世ヨーロッパではペストが大流行して、5,000万人もの死者を出しました。1918年に世界中に猛威をふるった「スペイン風邪」は当時の世界人口の約４分の１にあたる５億人が感染、推計で4,000万～5,000万人が亡くなったと言われています。近年は西アフリカでエボラウイルスが猛威をふるいました。2002年から2003年にはSARSが、2012年にはMERSの感染拡大が問題になりました。

人類は、それら多くの感染症に対してワクチンや治療薬を開発し、その都度打ち克ってきました。新型コロナウイルスに対しても、世界の研究者がワクチンや治療薬の開発を進めています。

政府が進める観光関連業者への支援策「Go To トラベル」キャンペーンが話題になりました。７月22日からスタートしましたが、感染者の増加がまだ続いているという理由で、東京都は10月からのスタートになりました。

今まで当たり前だったことがそうではなくなり、国民は新型コロナウイルスの感染拡大を防ぐために、今後も従来の生活様式を改めていく必要があります。

◆感染するルートは飛沫感染と接触感染

新型コロナウイルスはどのようにして感染するのでしょうか。一般的

▲緊急事態宣言の発令を受け、多くの店が臨時休業し、人通りがまばらとなった東京・浅草の仲見世商店街（4月８日、東京都台東区）。

▲新型コロナウイルスのワクチンを開発する米研究所

チェック

抗体とワクチン

抗体は細菌やウイルスといった病原体が体内に侵入したとき、それらを攻撃し、追い出す働きをするために体内で産出されるタンパク質の一種・免疫グロブリンのこと。

ワクチンはあらかじめ毒性を弱めたり、無毒化したりした病原体を体内に投与することで免疫（抵抗力）を獲得し、対象となる感染症の発症や重症化を防ぐ効果を持つ医薬品のこと。

感染拡大を防ぐために私たちができること

～自分を守るために、家族や友だちに広めないために～

感染を予防するには、「手洗い」「うがい」の励行、「手指の消毒」、「マスクの着用」、「人混みを避ける」、「３つの密を避ける」などが重要です。自分が感染しないためだけでなく、他人への感染を防ぐためにも新型コロナウイルスの対策を確認し、実行していきましょう。

◆せっけんで手洗い

外出先から帰ってきたときや食事の前などは必ず手洗いをする。

手洗いは、せっけんを使って、手のひらや甲、指の間、つめの中、手首もよく洗う。洗い終わったらきれいなタオルでふく。

◆手指のアルコール消毒も

アルコール消毒も効果的。消毒は、両手全体にまんべんなくすり込み、乾かす。

◆マスクを着用

咳やくしゃみからウイルスが飛び出していくのを防ぐために、また、吸い込むのを防ぐために、マスクを着用する。

◆十分な睡眠と栄養をとる

規則正しい生活を心がけ、自己の健康管理をしっかりすることも大切。

◆３つの密に注意しよう！

集団感染を防ぐためにも３つの密に気をつける。

密閉 ……… 換気の悪い密閉空間

密集 ……… 多くの人が密集している場所

密接 ……… 近距離で密接した会話や発声を行う場面

▲緊急記者会見で、フリップを上げて協力を求める東京都の小池百合子知事（3月25日、東京都庁）。

集団感染が起きた場所の共通点とされているのが上記の３つの条件にあてはまるところです。

には飛沫感染、接触感染によると言われています。飛沫感染とは感染者のくしゃみ、咳、つばなどと一緒にウイルスが放出され、そのウイルスを他の人が口や鼻から吸い込んで感染することです。接触感染は、ウイルスがついているもの（たとえばドアノブなど）を触った手で、口や鼻を触ってしまって感染することです。

◆欧米で感染者が急増、都市封鎖措置も

世界では今なお感染者は増え続けています。特に欧米諸国の状況は深刻です。感染者数が最も多いのがアメリカです。イタリアやスペイン、イギリス、フランスなどのヨーロッパの国では感染拡大を抑えるために約２か月にわたって**都市封鎖（ロックダウン）**を行い、国民の生活に厳しい制限を設けました。５月末になって徐々にその制限は緩和されましたが、感染拡大は続いています。さらに、ブラジルやインドなどで感染者が激増し、今後の状況が心配されています。

●ロックダウン

新型コロナウイルスをめぐっては、「都市封鎖」の意味で使われている。政府の専門家会議の提言では、「一定期間都市を封鎖したり、強制的な外出禁止や、生活必需品以外の店舗閉鎖などを行う措置」としている。

大地震からの復興と残された課題

- 阪神・淡路大震災から25年
- 東日本大震災の避難者なお４万人超
- 地図記号「自然災害伝承碑」を防災に活かす

東日本大震災から９年、追悼式で献花する遺族（３月11日福島県浪江町）。

大地震からの復興は進んでいるの？

◆家の中で大きな被害～阪神・淡路大震災から25年

今から25年前、1995年１月17日早朝に**阪神地区～淡路島を襲った大地震**はこの地域に大きな被害をもたらしました。死者は6,400人を超え、そのうち神戸市内で亡くなった人が4,500人以上にのぼりました。地震が直接の原因で命を落とした人の約77％が圧死または窒息死です。これは直下型の巨大地震（震源地区では震度７）で、家屋が倒壊したり、家の中で家具の下敷きになったりする被害が多かったためです。

この震災によって「建物の安全」が大きな課題として浮かび上がりました。全国的に住宅・学校・大型建築物等の**耐震化**が進められる一方で、地震への備えや地震発生時に助かるための動き方が公的機関や自治体などから発信されるようになり、学校教育にも採り入れられました。**防災・減災**には、一人ひとりの正しい知識に基づく的確な判断が大切なのです。

◆津波に備えるまちづくり～東日本大震災から９年

2011年３月11日の午後に起きた**三陸沖を震源**とする地震は、世界でもあまり例のない**マグニチュード9.0**と推定される規模で、地震そのもの以外にも直後に東北太平洋岸に押し寄せた巨大津波によって、港湾や沿岸の町が破壊され、1.6万人近い人が亡くなる大惨事となりました。長い海岸線に沿って広範囲に被害が発生したため、また起こるかもしれない**津波**への備えとして多くの被災箇所で堅固な護岸の建設や高台への町の移転が行われています。

復興庁では2016年４月～2021年３月の５年間を「**復興・創生期間**」としていますが、部門によって進捗の度合いは異なっています。農業・水産業

●自然災害伝承碑

災害は地形や地質、土地の気候などとの関係が深く、一つの土地で似たような災害が繰り返し起きることもある。過去に被害に遭った人たちが残した自然災害伝承碑は、その土地にどんな危険があるかを教えてくれる貴重な情報源である。

国土地理院は、2018年７月の西日本豪雨災害で多くの犠牲者を出した地区にそのような伝承碑があったのに防災に活かされなかったことから、自然災害伝承碑の地図記号を新しく作って地図上に表示し、紹介することにした。

2020年９月１日現在、47都道府県179市区町村593基を公開している。

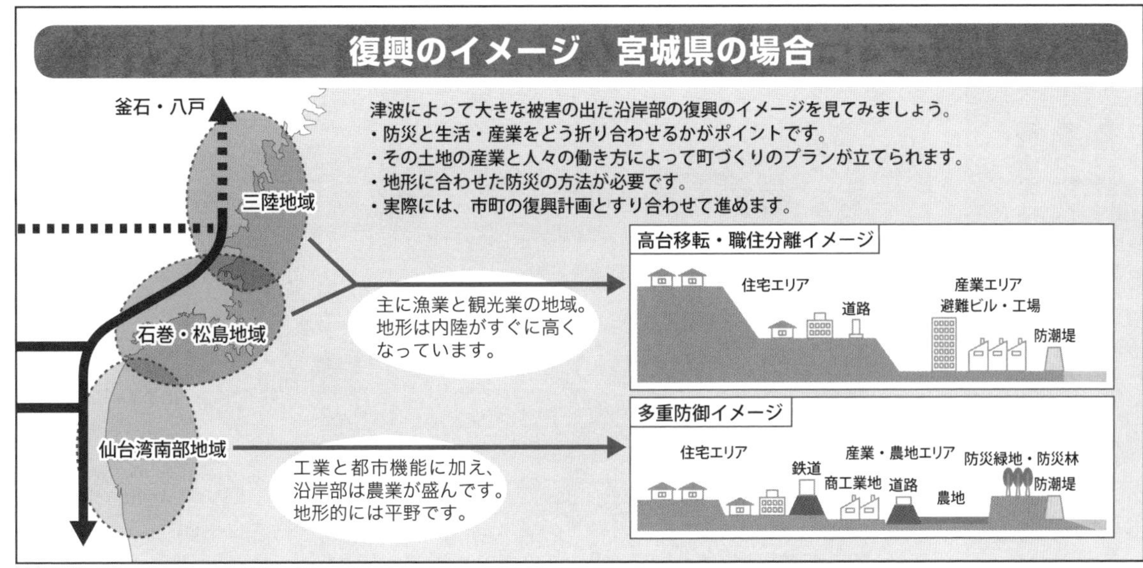

の施設は90％以上復旧が進み、産業活動を軌道に乗せていく段階にさしかかりました。道路再建や港湾整備にはもう少し時間が必要な箇所も残されています。避難者は減少していますが、９年目の今でも４万3,000人が生活再建を果たせていません。人々へのきめ細かいケアとサポートには今後も継続して取り組んでいくことが必要です。

◆避難指示解除でも住民の帰還が進まない――福島

福島県には**福島第一原発事故**の事後処理という難題があります。事故後、高濃度の放射性物質によって汚染された原発周辺は帰宅困難区域、その周りは避難指示区域に指定されましたが、避難指示区域については除染を行い、順次避難指示が解除されました。政府はこの区域への住民の帰還を促し、2020年中に60％が帰還することを目標としています。しかし、実際に戻ってきているのは３月時点で30％程度に留まり、目標達成は難しい状況です。

事故を起こした原発そのものについては、廃炉に向けた手順として、溜まり続ける汚染水の処理、使用済み核燃料の取り出し、燃料デブリの取り出しと課題が山積しています。

●インフラとライフライン
インフラとは、人々の生活や生産活動の基盤となる設備や施設のこと。具体的には、電気・ガス・水道・通信・交通などをさす。
ライフラインは電気・ガス・水道や通信および物資の輸送路などのことで、災害時には「被災地の人々の命を守る補給路」という意味合いで使われる。

●ローリングストック
いつ来るかわからない災害に備え、日常生活の中で自然に備蓄をするやり方。必要量よりも少し多く自宅に確保しておき、使った分だけ補充し、常に一定量の貯えが残るようにする。こうすると、とくに防災を意識しなくても、いざというときに困らない。

記録的な大雨で冠水した熊本県人吉市街（７月４日・時事通信ヘリコプターより）。

令和２年７月豪雨と復興

令和２年７月豪雨は、2020年７月３日から31日までにかけての、熊本県を中心とした九州地方、中部地方、東北地方をはじめとした、広範な地域における集中豪雨のことです。多くの人命や家屋への被害のほか、ライフライン、地域の産業などにも甚大な被害をもたらしました。

また、新型コロナウイルス感染症対策としての災害時の避難生活の課題が浮き彫りになりました。避難所の限られた空間に大勢の人が集まり、共同生活を送ることが感染リスクを高める要因になるからです。避難所での「３密」対策が求められます。また、復興を考えるにあたっては、人手が多く必要であるにもかかわらず新型コロナウイルスの感染リスクを恐れて、被災地にボランティアが集まりにくいなどの問題も生じています。

安倍長期政権終焉、菅新政権へ

●選挙に勝ち続け、憲政史上最長の安定政権に
●出だしの好調が続かなかったアベノミクス
●菅新首相誕生。規制改革へ、縦割りを打破

安倍前首相（左）に花束を贈る菅義偉首相（右）。

長期政権の間に進められた政策は何？

◆第二次安倍政権、憲政史上最長の7年8か月で終了。菅新政権が誕生

2020年８月24日で第二次安倍政権は2,799日目を迎え、安倍晋三前首相の連続在任日数は佐藤栄作元首相を超えました。憲政史上で最長となる長期政権です。しかし、４日後の８月28日に体調不良で職責を果たせなくなったとして辞任を表明しました。安倍前首相の辞任に伴い、９月14日には自民党総裁選挙が、16日には総理大臣指名選挙が行われ、菅義偉氏が首相に就任しました。第二次安倍政権は約７年８か月と長期にわたりましたが、その施政を振り返ってみましょう。

◆国政選挙に勝ち続けて政権を維持

第二次安倍政権の始まりは2012年12月の衆議院選挙です。このとき自民党は過半数を50議席以上上回る294議席を得、惨敗した当時与党の民主党はその２割にも満たない57議席に落ち込みました。３年間の民主党政権は、経験不足に加え、東日本大震災と福島第一原発事故の勃発という災害も重なって人気を失っており、民主党はこの衆院選での敗北後は少ない勢力からさらに離党者が相次ぎ、少数野党の一つになってしまいました。安倍政権はその施政の前半は経済が順調であったことから高い支持を受け、３回の国政選挙で

▲記念撮影に臨む菅義偉首相（前列中央）と新閣僚ら（9月16日、首相官邸）。

菅新内閣

【内閣総理大臣】	菅 義偉
【副総理・財務】	麻生 太郎
【総務】	武田 良太
【法務】	上川 陽子
【外務】	茂木 敏充
【文部科学】	萩生田 光一
【厚生労働】	田村 憲久
【農林水産】	野上 浩太郎
【経済産業】	梶山 弘志
【国土交通】	赤羽 一嘉
【環境】	小泉 進次郎
【防衛】	岸 信夫
【官房長官】	加藤 勝信
【復興】	平沢 勝栄
【国家公安】	小此木 八郎
【行政改革】	河野 太郎
【一億総活躍】	坂本 哲志
【経済再生】	西村 康稔
【デジタル改革】	平井 卓也
【五輪】	橋本 聖子
【万博】	井上 信治

敬称略

●GDP
国内総生産。一定期間内に国内で生産された商品やサービスの付加価値の総額。その時点でのその国の経済力を示す指標と考えられている。

● 2010～2020の日本経済

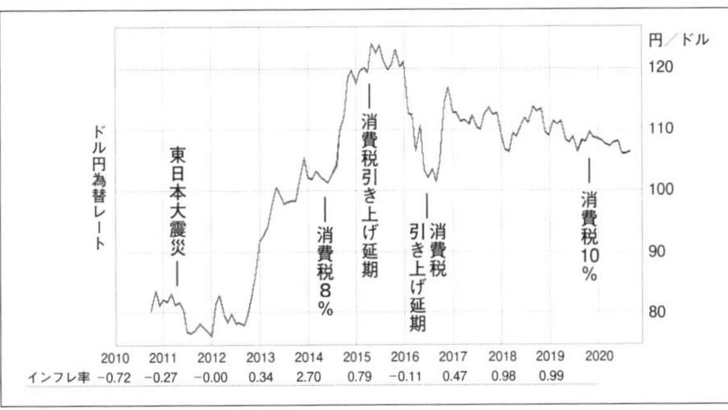

● 2010～2019のGDP推移

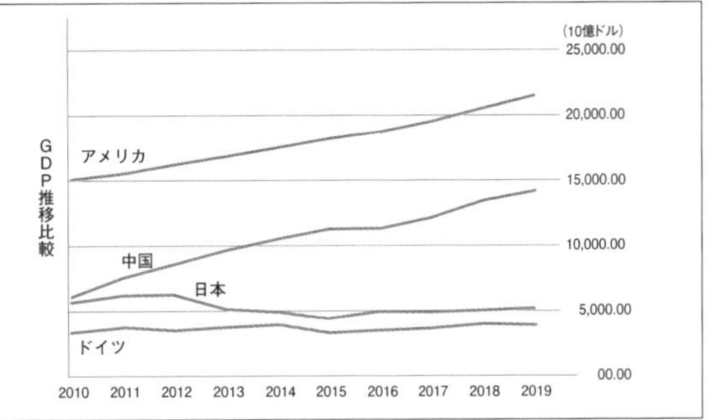

●普天間飛行場

宜野湾市にある米軍基地で、軍用機が絶えず発着する。市街地に囲まれていて、すぐそばに大学や小学校もある。こうした立地から、かつて視察に訪れたラムズフェルド米国防長官（当時）は「世界一危険な基地」と評した。

▲上空から見た普天間飛行場

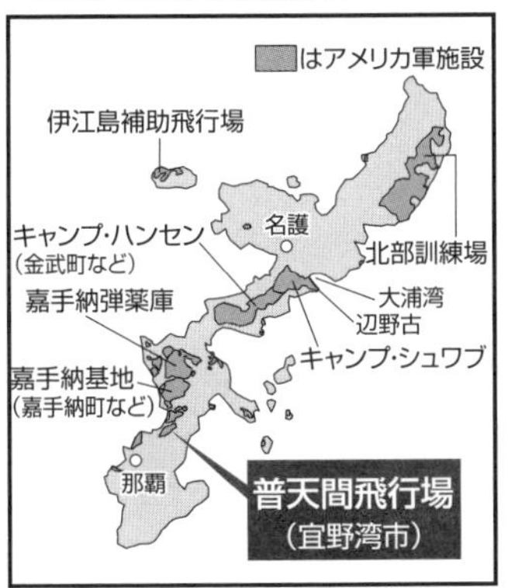

●普天間飛行場辺野古移転の経緯

1996	日米首脳で普天間返還の合意
2006	辺野古移転、海上滑走路建設で合意
2008	沖縄県議会、辺野古移設反対を決議
2009	鳩山首相、沖縄県外移設での調整を示唆
2010	鳩山首相、県外移設を撤回
2012	国と県、辺野古工事開始で合意
2014	翁長氏、辺野古移設反対を唱え県知事に当選
2015	翁長県知事と国の話し合いが決裂。辺野古沖埋め立て承認を取り消す
2017	辺野古埋め立て工事再開
2019	沖縄県民投票で辺野古移設反対約7割

は弱体化した野党勢力を寄せつけず、すべて大勝しました。国会での安定多数を背景に、多くの法案を通すことができたことが長期政権につながった要因と言えるでしょう。

◆出だしの好調が続かなかったアベノミクス ――経済・財政

安倍政権は長らくデフレに苦しんできた日本経済を再び成長軌道に乗せることをめざし、一連の経済政策（**アベノミクス**）を打ち出しました。いわゆる三本の矢、①**金融緩和→円安誘導**、②**財政出動**、③**成長分野への投資**がその内容です。アベノミクスは円安反転が効いて好調に滑り出し、2013年になんとか**デフレ**を脱却すると、2014年には３％近い**インフレ**に転じました。輸出企業を中心に業績を回復、好景気が訪れました。しかし、2014年４月に消費税が５→８％に引き上げられ、2015年に円安が限界に達すると、景気に陰りが見え始めます。政府は予定されていた消費税の引き上げ（８→10％）を二度にわたって延期し、景気の再浮上を図りましたが、はかばかしい結果は得られませんでした。経済成長率は毎年世界平均を下回り、アメリカ、中国とは差が開いていました。一時は好調だった日本経済ですが、三本の矢のうち財政政策や成長分野への投資がうまく機能せず、力強い成長力を取り戻すにはいたりませんでした。

◆首脳会談に積極的。80の国・地域を訪問 ――外交

安倍前首相の外交における動きは非常に積極的でした。アメリカとは、特にトランプ大統領の時代になると信頼関係が深まりました。また、中国とは尖閣諸島をめぐって緊張が高まっている状態での就任でしたが、互いの共通利益を見出して落ち着いた関係を取り戻しています。さらにロシアのプーチン大統領とは会談を重ね、北方四島の返還と平和条約の締結を模索しました。こうした主要な相手先だけでなく、ヨーロッパ、アジア、アフリカ、中東、中南米、オセアニアのさまざまな国を、訪問し首脳会談を行ってきました。訪問先の国・地域は80を数え、これは歴代首相の中でも突出した数です（２位は小泉元首相の48か国）。

ロシアとの交渉は進まず、韓国との間はさまざまな問題が出てきて今は冷え込んだ状態です。また、北朝鮮との拉致被害者帰国の話し合いもあまり前進しませんでした。このように外交は常にうまくいくとは限りませんが、多くの国に出向き直接首脳と話し合ったことは、今後の日本の平和外交や経済関係構築の礎になると考えられます。

◆世界的な緊張の高まりに備え日米関係を強化 —— 国防

中国が急速な経済成長を続けて国力を高め、唯一の超大国アメリカに対抗する存在になりつつあります。自由主義のアメリカと国家主義の中国には本質的に相容れない部分があり、相互に強い警戒心を抱いています。

軍事的な面で、両大国の勢力圏がぶつかり合っているのがフィリピン海〜東シナ海辺りです。ここは中国が自国の一部と主張する台湾があり、緊張が高まっている地域が日本の近海なのです。

こうした背景があって、安倍政権はアメリカとの軍事的な協力態勢づくりを急ぎました。それが2013年の**特定秘密保護法**、2014年の閣議決定による**憲法解釈変更**（集団的自衛権の合憲の確認）、2015年の**日米防衛協力指針→安保法制**という一連の流れです。国防のためとはいえ、進め方は強引であるとの意見もあります。憲法との矛盾を指摘する声もあり、日本の方向性が問われています。

◆地方創生、少子化の克服、環境保全、人権問題などの課題 —— 内政

課題山積の内政においても重要な取り組みが安倍政権の下で始まりました。**まち・ひと・しごと創生総合戦略**は地方創生対策の中心です。**働き方改革**は、多様な仕事のしかたができる柔軟な社会をめざし、それによって少子化からの脱却や労働生産性の向上を狙っています。

改正海岸漂着物処理推進法、**レジ袋有料義務化**は深刻な環境問題とされている海洋プラスチックごみ等に国民の関心を集めるための対策です。いずれも内容が万全とは言えず、また、これらの対策のみで問題が解決するわけではないため、息の長い取り組みが必要となります。安倍政権がその最初の一手を打ったということができるでしょう。

◆長期政権で指摘された不正や疑惑

長期政権は仕事で成果を挙げやすいとされる反面、強い権力に対する反発の声が多くあがりやすい面もあります。安倍政権にもその傾向がみられ、当初は政府批判があっても多くは政策や法律案の中身に関することでしたが、後半は数々の不正や疑惑が表面化し、その追及への対応に追われることになりました。

特に問題となるのは、公文書の隠蔽と改ざんが繰り返されたことです。こうした不正な処理が行われた場合、責任を問われるのは文書を管理している官僚です。世間ではこのような状態を「忖度（ここでは、官僚が勝手に気を使ってやったの意）」と揶揄しました。

不正な操作は厚生労働省作成の労働統計でも行われ、それが施政をよく見せる結果となっていたという指摘もあります。公的部門への信頼が失墜しました。

▲参院決算委員会で、布マスクを着用して答弁する安倍晋三前首相。新型コロナウイルス感染症対策本部で、国が買い上げた布マスクを全国5,000万余りの全世帯に2枚ずつ配布すると表明した（4月1日、国会内）。

●政官に関わる問題など

政官に関わる問題など
年金の個人情報漏洩問題
森友学園の国有地格安払い下げ問題
加計学園認可に関わる問題
自衛隊の南スーダンPKO活動日報等文書の廃棄疑惑
IR汚職事件
「桜を見る会」における公費での接待疑惑
黒川検事長の定年延長問題
河井元法相夫妻、公選法違反の疑いで逮捕

安倍政権の7年8カ月を振り返る

国政選挙	
2012/12	衆院選、自民党が大勝で政権奪取。民主党は大敗
2013/07	参院選、自民党が圧勝
2016/07	参院選、連立与党が圧勝
2017/10	衆院選、連立与党が大勢力を維持
2019/07	参院選、連立与党が２／３を下回る

経済・財政	
2013	経済振興策（アベノミクス）が始動
2013/03	首相、TPP参加を表明
2016/02	TPP参加12カ国が協定文に署名
2016/02	日銀、マイナス金利政策を開始
2017/01	アメリカ、TPP離脱を表明
2017/07	日本とEU、EPAで大枠合意
2018/03	アメリカ抜きの新協定「TPP11協定」に署名
2018/12	TPPが６カ国で発効
2019/02	日本とEUのEPA発効

東京オリンピック・パラリンピック	
2013/09	東京2020オリンピック・パラリンピック決定
2015/10	スポーツ庁設置
2020/03	東京五輪一年延期決定

国防・軍事	
2013/12	特定秘密保護法が成立
2014/07	集団的自衛権容認を閣議決定
2015/04	日米防衛協力指針に合意
2015/09	日米の安保法制が成立
2017/02	マティス米国防長官来日。尖閣への安保適用を確認
2017/05	陸上自衛隊、南スーダンPKO終了
2019/06	ホルムズ海峡で日本タンカーに攻撃
2020/02	自衛隊を中東に派遣　★海上安全確保のため

外交	
2014/04	オバマ米大統領来日
2014/06	首相、G7サミット（ブリュッセル）参加
2015/04	首相、米議会演説
2015/06	首相、G7サミット（エルマウ）参加
2016/05	伊勢志摩サミット
2016/05	オバマ米大統領、広島訪問
2016/09	日ロ首脳会談
2017/02	日米首脳会談
2017/07	核兵器禁止条約が採択。日本は交渉に不参加
2018/02	首相、韓国訪問
2018/04	日米首脳会談（フロリダ）
2018/05	日中韓サミット（東京）
2018/05	太平洋・島サミット（いわき）
2019/01	日英首脳会談
2019/05	トランプ米大統領来日
2019/06	G20大阪サミット

選挙権と国会議員の定数	
2014/06	改正国民投票法が成立　★憲法改正に向けての整備
2015/06	改正公職選挙法が成立　★選挙権年齢が満18歳以上に
2015/07	参院議席数10増10減とする改正公職選挙法が成立
2016/05	衆院議席数10減とする改正公職選挙法が成立
2018/07	参院議席数６増とする改正公職選挙法が成立

内政	
2014/11	まち・ひと・しごと創生法が成立
2015/10	マイナンバーを順次国民に通知開始。マイナンバー制度開始は2016年1月から
2016/04	女性活躍推進法が全面施行
2017/06	テロ等準備罪法を含む改正組織犯罪処罰法が成立
2018/05	政治分野の男女共同参画推進法が成立
2018/06	改正海岸漂着物処理推進法が成立
2018/06	改正民法が成立　★成人年齢18歳に（施行は2022年4月1日）
2018/06	働き方改革関連法が成立
2018/07	ギャンブル等依存症対策基本法が成立
2018/07	特定複合観光施設区域整備法（IR実施法）が成立
★IRとは、統合型リゾートの略語でカジノ（ルーレットやカード等の賭博施設）を中心に、ホテル・劇場などを持つ観光・娯楽施設。海外の富裕層の観光客の来訪が期待できるとされる。全国3か所が認可される予定	
2019/04	アイヌ民族支援法が成立
2019/04	強制不妊救済法が成立
2019/07	首相、ハンセン病患者家族に謝罪
★アイヌ民族支援法・強制不妊救済法・ハンセン病患者家族への謝罪は、いずれも長年懸案となっていた人権侵害等について、被害者に配慮する形で政府が決まりをつけた	
2020/07	レジ袋の有料化を開始
2020/09	マイナポイント事業を開始

天皇・皇室	
2016/08	天皇陛下が退位の意向を示す「お気持ち」を表明
2017/06	天皇の退位等に関する皇室典範特例法が成立
2017/12	皇室会議にて天皇陛下の御代替わりの日時が決定
2019/04/01	政府、新元号「令和」を発表
2019/04/30	天皇陛下が退位
2019/05	新天皇陛下が即位。令和に改元

国内政治

東京都知事選と地方自治

●現職の強みを活かして小池都知事が再選
●民意を反映しやすい地方自治制度
●人口減少に悩む地方の創生が難題

東京都知事選挙で当選確実となり、インタビューに答える小池百合子氏（7月5日東京都新宿区）。

選挙の結果で政治や人々の暮らしが変わるの？

◆現職の小池都知事が圧勝で再選

2020年7月5日は**東京都知事選挙**の投票日でした。今回は新型コロナウイルス感染拡大中の選挙で、これまでとは異なる選挙になりました。候補（こうほ）者たちは人が集まる街頭演説などが思うようにできない一方で、小池都知事は積極的な選挙活動はせずに、現職都知事として連日テレビ等に出演して新型コロナウイルスの感染状況（じょうきょう）や対策（たいさく）を語るという形は、挑戦（ちょうせん）する新人には不利に働いたと言えるでしょう。22人という空前の数の立候補者で争われ、新型コロナウイルス対策や東京オリンピック・パラリンピックの開催などが都知事選の争点となりました。結果、現職知事に票が集まり、小池氏が366万票余りを得て圧勝・再選されました。勝利した小池都知事は、新型コロナウイルス対策が差し迫った課題であると述べ、都民の命、暮らしを守る政策を進めると話しました。

■都知事選の結果

主な候補者		得票数	得票率
小池 百合子	現都知事	3,661,371	59.7%
宇都宮 健児	無所属	844,151	13.8%
山本 太郎	れいわ新選組	657,277	10.7%
小野 泰輔	無所属	612,530	10.0%

■都知事選 過去の結果との比較

投票日	投票率	当選	得票率
2020年07月05日	55.0%	小池百合子	59.7%
2016年07月31日	59.7%	小池百合子	44.5%
2014年02月09日	46.1%	舛添要一	43.4%
2012年12月16日	62.6%	猪瀬直樹	65.3%
2011年04月10日	57.8%	石原慎太郎	43.4%
2007年04月08日	54.4%	石原慎太郎	51.1%
2003年04月13日	44.9%	石原慎太郎	70.2%
1999年04月11日	57.9%	石原慎太郎	30.5%

2011年以降、石原氏、猪瀬氏、舛添氏と、任期満了前の辞任が続いた。小池都知事は久々の任期満了した都知事である。

◆民意を反映しやすい地方自治制度

東京都に限らず、新型コロナウイルスの感染（かんせん）が広がった道府県ではそれぞれの知事が注目を集め、従来以上に国の方針に意見を述べたり独自の対策を打ち出したりし

●地方の主な財源
・**地方税**
＝自治体に直接入る。
・**地方交付税（交付金）**
＝国税の一部を、国が地域の差を考慮して分配する。
・**国庫支出金**
＝特定の目的で出る補助金。

●コンパクトシティ
まとまりよく作られた町のこと。中心部に公共施設を集中的に配置し、周辺に住宅を集中させ、交通機関は路面電車やバス等、町のスケールに合った交通機関にする。インフラや行政サービスの効率を上げつつ暮らしやすさをめざす形である。

●条例
憲法（けんぽう）や法律の範囲（はんい）内で地方議会が定め、その自治体の中でのみ適用される独自の決まり。

地方創生で自治体が取り組むことは？

将来にわたって豊かに暮らす自治体として存続していくために、今、どんな施策が必要とされているのでしょうか。

やるべきこと	具体的な政策	
❶人材を確保する まち･ひと･しごと創生法では、国はお金を出す立場。活性化の設計図を描き、それを実行するのは地方です。	地方大学で育成	地域で人を育てます。
	国･民間から取り込み	能力のある人を連れてきます。
❷しごとを増やす 人を呼ぶには、そこに仕事がなければなりません。働く場所を地域にたくさん確保することが大切です。	地場産業を育てる	地元企業支援、農業や漁業の安定･高度化。
	観光を振興する	地方には観光に有利な地域がたくさんあります。
	企業や工場を誘致する	仕事の確保に効果絶大です。
❸住みやすいまちをつくる 暮らしやすい、子育てしやすい町には人が集まります。	安定した行政サービス	学校、病院、安全なまちなど。
	子育て支援	保育サービスの充実など。
❹人を呼ぶ 人を呼ぶための受け入れ態勢を整えます。	住宅の確保	安心･安全な住まいを提供します。
	地方大学の活性化	大学生は４年間の住人で、定住候補者でもあります。
❺インフラを整理する 今よりずっと多い人口に合わせて用意された施設。広域に多くの人が住んでいる前提のライフライン。これらから発生するムダを見直すことも必要です。	公共施設の統廃合 コンパクトシティ	居住区を再編、集中し、行政サービスをしやすくします。

ました。これは、感染状況が地域によって異なり、国として行う施策だけではなく、各都道府県の課題に合わせた対策が必要とされたためです。

地方自治は**住民の意思が直接行政に反映されやすい制度**になっています。知事などの首長は住民による選挙で選ばれ、施政に不満がある場合、首長を辞職させる**リコールの制度**もあります。また、**住民投票**によって、特定の問題について住民の意思を問うことも行われます。このように住民の生活により密着し、行政に参加する機会も多いことから「**地方自治は民主主義の学校**」と言われるのです。

◆地方の課題

地方行政は厳しい現実に直面しています。最大の問題は大都市圏以外の**人口減少**が止まらないことです。人口が減ると町の活気は失われ、仕事が見つけにくくなり、若い人々が都市に流出し、さらに人が減るという負の連鎖が起きます。**過疎化**と**高齢化**が重なっている**限界集落（65歳以上が50％超）**が全国で急速に増え、２万を超えているのは状況の深刻さを物語っています。

地方創生のためのさまざまな政策が行われていますが、国全体の人口減少が進行しているなかで、各地方の活気を取り戻すことは容易ではありません。国と自治体が協力して予想される未来に合わせて町のあり方を見直し、再構築していくことも必要です。

■地方自治のしくみ

●地方自治は首長と議員のどちらも住民が選挙で選ぶ。これを二元代表制という。

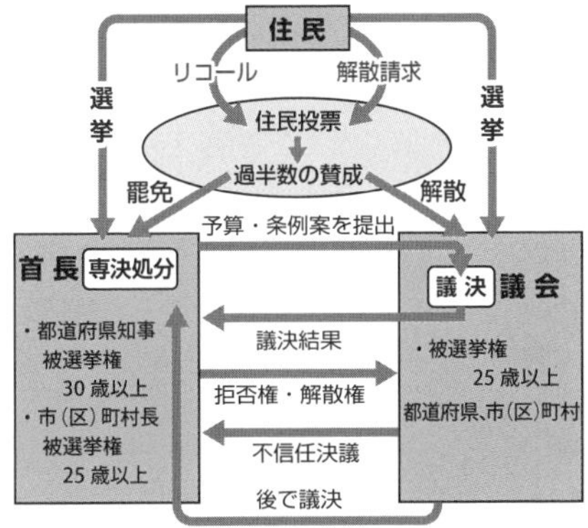

■首長･議員の被選挙権と任期

	被選挙権	任期
衆議院議員	25歳以上	4年
参議院議員	30歳以上	6年（3年ごとに半数を改選）
都道府県知事	30歳以上	4年
都道府県議会議員	25歳以上	
市区町村長	25歳以上	
市区町村議会議員	25歳以上	

●まち・ひと・しごと創生法

それぞれの地域で生活しやすい環境の整備、地域社会を担う多様な人材の確保、魅力ある就業機会の創出などを進めるための法律。人口の減少に歯止めをかけ、東京一極集中の是正をめざす国の総合戦略と市町村自身のまちおこし戦略の両面で進める。

チェック

地方自治法では、町と村に限り、議会の代わりに有権者全員で構成される「町村総会」の設置が認められている。また、過疎化と少子高齢化の進行で、これまでの共同体の機能の維持が困難になる「**限界集落**」の発生も心配されている。

東京オリンピック・パラリンピックは1年延期に

●2021年に延期を決定したが、問題は残る
●膨らむ開催経費。延期でさらに増額も
●猛暑の中での安全な運営も課題

聖火の入ったランタンを手に、メッセージを朗読する競泳女子の池江璃花子選手（ルネサンス）（7月23日、東京・国立競技場）。

東京2020大会の延期にはどんな問題があるの？

◆新型コロナウイルスの流行で東京2020大会は1年延期になった

東京2020オリンピック・パラリンピックまで４か月となった2020年３月24日、国際オリンピック委員会（IOC）のトーマス・バッハ会長と安倍晋三前首相らの電話会談で、大会の延期が決定しました。世界中で新型コロナウイルスへの感染が広がり、多くの国で緊急事態宣言や海外からの入国停止等の措置が取られる状況で、予定通りの開催が不可能になったからです。その１週間後に、１年後の2021年夏に同じ日程で大会を実施することが発表されました。名称は「東京2020」のままです。

それから早速、2021年の開催に向けて準備が始まりました。会場の確保は難航したものの、予定していた全施設を使える見通しが立ちました。また、すでに販売したチケットは原則そのまま有効としたうえで、日程変更で都合が悪くなった人のために払い戻しすると発表しました（詳細は後日発表）。

このように延期への対処は行われていますが、開催にこぎつけるには新型コロナウイルスの収束が条件となります。また、感染症対策として大会の簡素化や入国者数や観客数の制限も検討されているようです。状況によっては、開催中止や無観客での開催等となる可能性も考えられます。

2020年７月23日、国立競技場で開会１年前のセレモニーが行われ、白血病からの復帰を目指す競泳女子の池江璃花子選手も出演しました。「逆境からはい上がっていくときには、希望の力が必要。１年後の今日、この場所で希望の炎が輝いていてほしい」とメッセージを伝えました。

◆すでに膨張している開催経費が延期でさらに増額？

東京オリンピックを誘致したときの計画では、限定されたエリアに集中

●IOC（国際オリンピック委員会）
オリンピックを主催する団体。オリンピックに参加する各種国際スポーツ団体を統括する組織。各国の委員で構成され、五輪開催に関するあらゆる権限を持つ。本部はスイスのローザンヌ。

チェック
東京2020大会が2021年夏へ延期となったため、政府は改めて祝日移動の五輪特別措置法の改正を検討しており、2020年秋の臨時国会での成立を目指している。休日移動は2020年に予定していたスケジュールにならい次の通りである。

●東京2020大会（2021年実施予定）のための休日移動案

	五輪大会	休日
7月22日		海の日★
7月23日	開会式	スポーツの日※
7月24日	（大会期間）	
～		
8月7日		
8月8日	閉会式	山の日★
8月9日		山の日振替

※体育の日はスポーツの日に改名(2020年より)。2022年以降は、10月の第２月曜日になる。
★2021年に限り、海の日は7月22日に、山の日は8月8日にそれぞれ変更される。

東京オリンピック・パラリンピック（2021年実施予定）基本情報

※オリンピック（2020年７月22日現在）、パラリンピック（2020年８月３日現在）の競技スケジュールは今後変更される可能性があります。

	オリンピック	パラリンピック
日程	2021年7月23日～8月8日	2021年8月24日～9月5日
基本コンセプト	全員が自己ベスト	
	多様性と調和	
	未来への継承	
競技	33競技339種目	22競技539種目
マスコットキャラクター	ミライトワ	ソメイティ

■近年の五輪開催都市(予定含む)

夏季のオリ・パラ大会は4年ごとに開催される。
また、冬季は夏季大会の中間の年に開かれる。

夏季		冬季	
2000	シドニー（オーストラリア）	2002	ソルトレークシティ（アメリカ）
2004	アテネ（ギリシャ）	2006	トリノ（イタリア）
2008	北京（中国）	2010	バンクーバー（カナダ）
2012	ロンドン（イギリス）	2014	ソチ（ロシア）
2016	リオデジャネイロ（ブラジル）	2018	平昌（韓国）
2020	東京（日本）	2022	北京（中国）
2024	パリ（フランス）	2026	ミラノ・コルティナダンペッツォ（イタリア）
2028	ロサンゼルス（アメリカ）		

■競技会場マップ（一部）

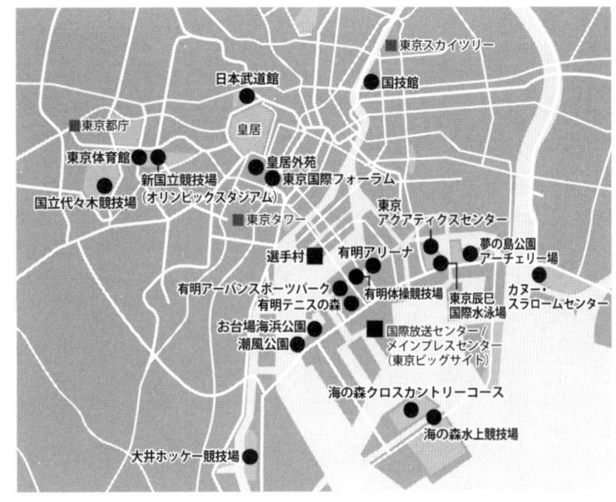

■日本開催の過去のオリンピック

1940（中止）	夏季	東京	日中戦争など国際情勢不穏のため日本は開催を返上。ヘルシンキ（フィンランド）に変更されたが、大会そのものが中止に。
1964	夏季	東京	アジア初の五輪。東海道新幹線が直前に開通し、首都圏の高速道路が整備された。開会式の10月10日は体育の日に。
1972	冬季	札幌	アジア初の冬季五輪となった。
1998	冬季	長野	新築スポーツ施設が多く、五輪後に負の遺産となったものも。

している既存の競技施設を利用するので、お金のかからない**コンパクト五輪**になるという触れ込みでした。

しかし、本番の３年前の2017年の時点で予算はJOC（日本オリンピック委員会）・東京都・国の三者合計で１兆3,500億円と２倍近くに膨れ上がっていました。そして2019年の暮れになると、「大会関連経費」を含めた実質的な金額は３兆円を超えるという指摘も出てきました。この中には本来必要な施設の改修をオリンピックの機会に行うなどのケースもあり、どこまでが五輪の経費か線引きが難しい面もありますが、当初の話とは異なり、経費が膨張していることは否定できません。延期によってさらに経費が増えることは確実で、誰がそれを負担するのかも定まっていません。

◆過酷な暑熱が心配される東京の夏

東京オリンピック・パラリンピックでは、**夏の暑さと湿度**も懸念されています。競技日程の過去３年の気温を見てみると、一日の平均気温が30℃を超える過酷な暑さが心配されます。この状態はパラリンピック開催期間までほぼ同じです。

東京都は会場や通路へのミスト装置の設置、反射熱を抑える素材による道路舗装、休憩所の用意等の対策を講じていますが、それで選手・観客・ボランティアを十分に守ることができるのか対策に不安が残ります。暑熱が最高潮のこの時期に五輪を開催するのは、世界的なスポーツイベントが少なく、視聴者も多く獲得できるというテレビ局やスポンサーにとっての都合が優先されているのではないかという批判もあります。

●パラリンピック
障がいを持つ人のための国際スポーツ大会の最高峰。４年に一度オリンピック開催都市で五輪直後に続けて行われる。第一回は1960年のローマ大会。その後しだいに浸透し、近年は人気も高まり、選手層も厚くなってきた。競技は障がいの程度に応じてクラス分けをするなどして、公平化を図っている。

●スポーツ庁
2015年に設けられた、文部科学省の外局。ソウルオリンピック競泳背泳ぎ100mの金メダリスト鈴木大地氏が初代長官を務めた。2020年10月１日よりアテネオリンピック陸上ハンマー投げ金メダリスト室伏広治氏が２代目のスポーツ庁長官に就任。競技力向上やスポーツによる健康の推進を政策として進めるとともに、東京オリンピック・パラリンピックで活躍できる選手を育成することが課題である。

国内政治

日本国憲法をめぐる動き

●民主化の第一歩として日本国憲法を制定
●第９条への自衛隊明記をめざす改憲派
●緊急事態条項がもうひとつの論点

日本国憲法［国立公文書館提供］。

憲法改正を望む理由と反対する理由は何?

◆制定から70年あまりが経過した日本国憲法

憲法は国の統治のしかたを定めるうえで最も基本になる法規です。国を動かすにはたくさんの法律が必要ですが、すべての法は憲法が定める内容と矛盾なく収まるものでなくてはなりません。憲法第98条に「**国の最高法規**」とあるのはそのような意味があります。

日本国憲法は、**1946年11月３日に公布**され、翌**1947年５月３日に施行**されました。戦勝した連合国側が、日本の民主化を進める第一歩として、天皇中心の大日本帝国憲法に代わる新しい憲法の制定を急ぎました。新憲法は当時日本を統治していたGHQ（連合国軍最高司令官総司令部）が草案を作成し、**国民主権・基本的人権の尊重・平和主義を三大原則**とする、民主的なものとなりました。

その後、経済も発展し、日本は国際社会に復帰。それから現在に至るまで、日本や世界を取り巻く環境は変わり、また、人々の暮らしや社会のあり方も大きく変化しました。制定から70年あまり経ち、一度も改正することなく時を重ねてきた憲法は現状と合わないところが出てきている、という意見もあります。

◆自衛隊の存在や活動をめぐって議論が続く第９条

なかでも議論の的になってきたのが**第９条**です。**９条**では「**国権の発動たる戦争と、武力による威嚇又は武力の行使は、国際紛争を解決する手段としては、永久にこれを放棄する**」と定められています。しかし日本は1950年に**警察予備隊**を創設し、その後保安隊、1954年には**自衛隊**が誕生しました。自衛隊は名前の通り日本の平和と独立を守ることを任務とする組織ですが、しだいに世界でも有数の戦力を持つようになってきました。

●日本国憲法

日本国憲法は、前文と11章103条からなる。前文には、この憲法がどのような考え方に基づいてつくられたかが記されている。

1946年11月3日　公布

1947年5月3日　施行

現在、11月3日は文化の日、5月3日は憲法記念日になっている。

●日本国憲法の三大原則

- 国民主権
- 基本的人権の尊重
- 平和主義

●憲法第９条【戦争の放棄、戦力及び交戦権の否認】

① 日本国民は、正義と秩序を基調とする国際平和を誠実に希求し、国権の発動たる戦争と、武力による威嚇又は武力の行使は、国際紛争を解決する手段としては、永久にこれを放棄する。

② 前項の目的を達するため、陸海空軍その他の戦力は、これを保持しない。国の交戦権は、これを認めない。

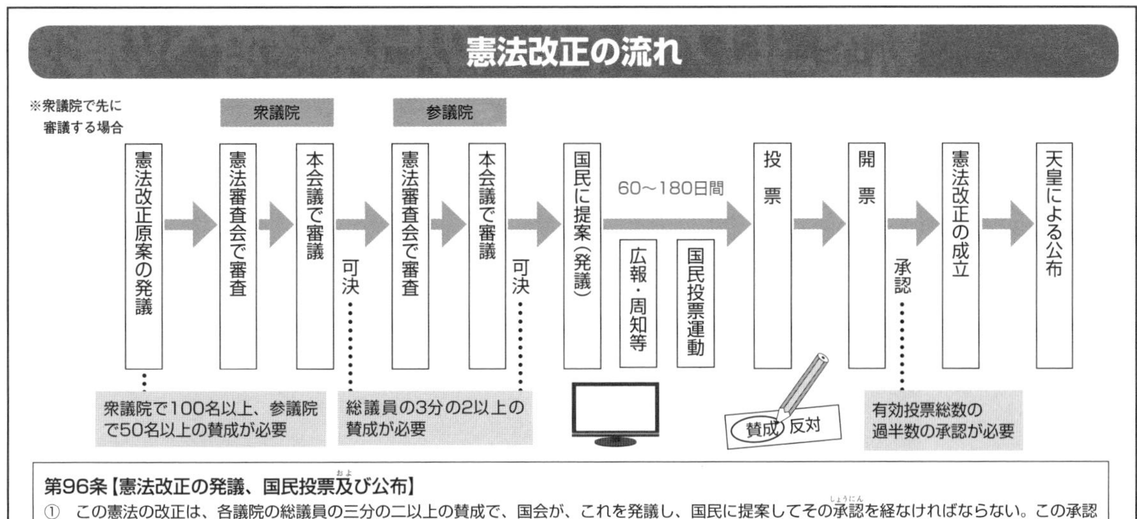

第96条【憲法改正の発議、国民投票及び公布】

① この憲法の改正は、各議院の総議員の三分の二以上の賛成で、国会が、これを発議し、国民に提案してその承認を経なければならない。この承認には、特別の国民投票又は国会の定める選挙の際行われる投票において、その過半数の賛成を必要とする。

② 憲法改正について前項の承認を経たときは、天皇は、国民の名で、この憲法と一体を成すものとして、直ちにこれを公布する。

同盟国のアメリカからはPKO（国連平和維持活動）の一部を担うことを求められるようになり、1992年には**国際平和協力法（PKO法）**が制定されました。さらに2014年に**集団的自衛権**の行使を認める閣議決定をしました。これらは憲法そのものには手をつけず条文の解釈を変更することで合憲とされてきました。自民党はこの状態を解消するために、憲法に自衛隊（国防軍）の保持を明記することをめざしています。

◆もう一つの論点に浮かび上がった「緊急事態条項」

改憲議論の出発点となるのは自民党が公表している改正草案です。草案は９条以外にもさまざまな箇所に改正を加える内容となっており、なかでも議論を呼んでいるのが**緊急事態条項**です。これは、大きな災害など対応に迅速な決断を要することが起きたとき、一時的に内閣に権限を集中して政令で財政支出を可能にし、国会の承認を後回しとする制度です。

2020年４月７日、政府は**新型コロナウイルス**の感染拡大防止を目的として緊急事態宣言を発出しました。これは新型インフルエンザ等対策特別措置法に基づいて出された宣言です。緊急的な措置を取る期間や区域を首相が指定し、対象地域の都道府県知事が、感染の防止に必要な協力を要請することができます。しかし、休業要請等を守らない人がいても法的に処罰することはできません。

憲法での緊急事態条項は、名称は同じでもまったくの別物で、はるかに大きな権限が政府に委ねられる仕組みです。しかし過去に同様の法律が強権政治や専制政治への入り口となった国内外の事例があり、導入に反対する声もあります。

安倍前首相は任期中の憲法改正をめざし、野党にも議論に加わるよう繰り返し求めてきました。しかし政府は新型コロナウイルス対策に追われることになり、国民投票法の改正案も先送りとなりました。改憲論議の再開には時間がかかる情勢となっています。

●自衛隊の成立とその後の主な展開

1950	朝鮮戦争勃発 警察予備隊創設
1951	サンフランシスコ講和会議 日米安全保障条約締結
1952	保安隊に改組
1954	自衛隊発足・防衛庁設置
1960	新安保条約締結・日米地位協定調印
1991	ソ連解体→冷戦終結
1992	国際平和協力法（PKO法）成立 初の自衛隊海外派遣（カンボジア）
2001	アメリカ同時多発テロ発生
2004	イラクの人道復興支援に自衛隊派遣
2007	防衛庁から防衛省に
2014	閣議で憲法解釈を変更し、集団的自衛権の行使を認める
2015	安全保障関連法成立 国の存立危機事態に限り、領土外での武力行使を認める

自衛隊は自国防衛のための警察予備隊として出発し、やがて規模を拡大し、アメリカの同盟国としての協力や国際的な役割を求められるようになってきた。

●国民投票法の改正案

国民投票実施の具体的なルールを現行の公職選挙法に合わせる形にする改正案。国民投票は今のところ憲法改正以外に行われる可能性がなく、改憲準備の意味をもつ。おもに以下のような論点がある。

・投票方法(項目別に賛否を問うか)
・最低投票率の基準を設けるか
・投票前の広告の活用のしかた

新型コロナウイルスの日本経済への影響

- 経済活動縮小で多くの業種・仕事に打撃
- 世界中に広がる感染症で人の移動や交易が縮小
- 対策費用がかさみ、税収も落ち込む二重苦に

新型コロナウイルス感染拡大による緊急事態宣言発令の影響で、臨時休業を伝える居酒屋の張り紙（4月・東京都新宿区）。

新型コロナウイルス対策にお金をたくさん使って大丈夫なの？

◆緊急事態宣言などで経済は打撃を受けている

新型コロナウイルスの蔓延は日本経済への影響が深刻です。国内での感染は２～３月にかけて急速に広がり、４月７日には７都府県に**緊急事態宣言**が出され、その後全国に拡大されました。解除までの２か月近く、飲食店・大型商業施設、各種イベント等は休業や活動中止を余儀なくされました。都道府県境を越える移動には自粛が求められ、会社には自宅などで仕事をする**リモートワーク**の導入・拡大が要請されました。

経済は人間の活動そのものですから、このように移動や行動が制限されると停滞します。影響の度合いは業種や地域などによりますが、「店を開けられない」「お客が来ない」レストランなどの飲食業、観光業、小売業、運輸業などは特に厳しい状況に直面しています。また、売上が落ち込めば、企業の倒産や失業者の増加につながります。

経済活動の縮小がさらに続くと、比較的堅調だった業種や基礎体力で持ちこたえてきた企業などにもやがて影響が及んでくるでしょう。

◆世界中に感染が広がり人の移動や交易も激減

新型コロナウイルスの感染は世界中の国に広がっています。欧米は特に感染者・死者が多く、その分経済の損失も甚大です。世界的流行は収まったとはいえず、アメリカ、ブラジル、インドなどでも感染が拡大しています。

こうした情勢から各国の生産力は弱まり、人の移動や交易は著しく縮小しています。日本企業の多くは生産を海外工場に頼り、多国間の**サプライチェーン**を構築し、海外市場で製品を売っているので、感染症の世界的な広がりで生産や販売に大きな影響を受けています。こうした面からも日本

チェック

●GDPに見える新型コロナウイルスの影響

GDP（国内総生産）は、一定期間内に日本で創出された価値の総合計額、つまり日本の生産力を示す数字といってよい。３か月ごとの四半期の数字の動きは１年をサイクルとするリズムがあり、４－６月期は直前の１－３月期に比べて１－３％程度マイナスになるのが例年のパターン。しかし、2020年の４－６月期は−7.8％と、バブル崩壊やリーマンショックのときにもなかった大幅下落となり、新型コロナウイルスによる自粛や緊急事態宣言の影響が如実に現れた。

日本の四半期別GDP

年	期	前期比
2018	1－3月	−0.4%
	4－6月	0.4%
	7－9月	−0.8%
	10−12月	0.6%
2019	1－3月	0.7%
	4－6月	0.4%
	7－9月	0%
	10−12月	−1.8%
2020	1－3月	−0.6%
	4－6月	−7.8%

※数値は内閣府 HP より

●税収

国の歳入は税収が中心で、不足分は国債を発行して補う。税収の約80％は所得税・法人税・消費税が占める。この中で消費税は景気の良し悪しの影響が少ない安定的財源となっている。

出勤せずに自宅で働くテレワーク

■テレワークとは？

ICTを活用し時間や場所を有効に活用できる柔軟な働き方。新型コロナ対策としては、自宅など会社以外で働くことが、「３密」の回避・人との接触機会減少につながるため、テレワークの積極的活用が推奨された。リモートワークともいう。テレワークは、簡素に考えるなら仕事に必要な資料さえ自宅で参照できればすぐにでもできる。なるべくオフィスに近い形で会議や顧客対応、社員同士の密なコミュニケーションなどを求める場合には、ウェブ会議システム等、いくつかのソフトウェアを利用することになる。いずれにしても、PC一台あれば会社が求める環境を構築することは可能だ。

●テレワークの利点

1 オフィスの規模を縮小できる。
2 オフィスと自宅が離れていても働ける。
3 通勤しない分、社員に時間や体力の余裕が生まれる。

●テレワークの問題点

1 自宅でのPC利用には、情報管理の面でセキュリティの限界がある。
2 新人社員の教育が難しい（対面で教わる機会が乏しい）。
3 各社員の進捗管理・勤怠管理等に手間がかかる。

●テレワーク導入への課題

テレワークで、問題点3の進捗管理・勤怠管理などをオフィスそのままのイメージでやろうとするとコストがかかり、煩雑になる場合がある。それゆえすべて今のままではなく、テレワークに適した新しい仕事のスタイルを作っていくことが必要だ。

また、新型コロナ対策の域を超えてテレワークが定着していった場合、町のにぎわいがその分しぼんでしまうことも考えられる。テレワークの推進は社会的影響に配慮しながら進めなければならない。

経済の先行きは予断を許さない状況です。

◆経済支援等で膨らむ支出。追い打ちをかける税収の落ち込み

政府は、新型コロナウイルスの抑え込みや苦境に立つ人への支援の目的で、さまざまな施策を打ち出しています。まず、すべての人に一律１人10万円の**特別定額給付金**を支給しました。また、**雇用調整助成金**の基準を大幅に緩めました。緊急事態宣言の発令に伴い、企業には一定の**休業補償**を実施しました。

2020年７月より、政府は観光業の回復を促すために「**GoToトラベル**」キャンペーンを実施しました。しかし、感染者の多い東京は10月からのスタートになりました。

2020年10月には、飲食業界向けの需要喚起施策となる「**GoToイート**」キャンペーンが始まりました。また、イベントのチケット代金を補助する「**GoToイベント**」キャンペーン、商店街のイベントなどを支援する「**GoTo商店街**」キャンペーンも、10月中旬以降に開始される見込みです。経済活動と感染症予防を両立させていくことが求められます。

ほかにも多くの対策が必要となり、その費用は57.5兆円と2020年の税収と匹敵する膨大な金額です。**財政再建**どころか、累積赤字は一挙に増えてしまいました。これに追い打ちをかけるのが税収の落ち込みです。歳入の中心である税収の三本柱は**法人税・所得税・消費税**ですが、経済不振によって多くの企業の業績が悪化し、多くの人が収入減に見舞われることが確実で、法人税、所得税が減少すると予想されています。景気の回復には積極的な財政出動も必要です。財政のバランスを考えることが重要になってきます。

●サプライチェーン

企業が必要な原材料や部品などを揃えて製品を造り、あるいは商品を仕入れて、それを消費者に届けるまでの、調達、製造、在庫管理、配送、販売、消費といった一連の流れのこと。今回の新型コロナウイルスのような不測の事態によってサプライチェーンの連鎖がどこかで途切れると、生産や販売に影響が出る。

●雇用調整助成金

本来は、景気変動などで事業を縮小する事業主が、一時的な休業などの手段で従業員の雇用を維持した場合に、国がその賃金の一部を肩代わりする制度。新型コロナ対策では、申請できる条件を緩め、支給額の上限も大幅に引き上げて、雇用の維持を図っている。厚生労働省の管轄。

チェック

■新型コロナ対策にかかったお金

新型コロナウイルスのあるべき対策や支援の金額等について、さまざまな議論があった。政府は二度の補正予算を組み、合わせて約57.5兆円を新型コロナウイルス関連に当てている。この金額は当初の年間予算の税収にほぼ匹敵し、歳出総額102兆円の50％を上回る。

国際・外交

緊張が高まる日本周辺地域

- ●いわゆる徴用工問題で日韓関係は冷却
- ●尖閣諸島の日本の領海で中国が示威行動
- ●中国の締め付けで揺らぐ香港の一国二制度

「香港国家安全維持法」に抗議するデモ隊の取り締まりにあたる警察（7月1日 香港・香港島）。

東アジアの国々には今どんな問題があるの？

◆尖閣周辺で示威行動を繰り返す中国

近隣の国々との間には領土・領海をめぐる争いがつきものです。日本の場合、中国との間に**尖閣諸島**、韓国との間に**竹島**、ロシアとの間に**北方４島**の領有権をめぐる意見の対立などがあります。この中で日本が実効支配している尖閣諸島は現在やや緊張が高い状態です。中国は自国の領有を主張し、日本の領海のすぐ外側の接続水域を頻繁に漁船や公船に航行させ、ときには領海内に侵入しています。この対立は長く続いている問題であり、今後も注視する必要があります。今年は習近平国家主席が国賓として初来日する予定でしたが、新型コロナウイルスの感染拡大の影響で中止になりました。

◆さまざまな問題が横たわる日韓関係

日韓の間に横たわる問題のひとつに、いわゆる**徴用工の問題**があります。2018年10月１日、韓国大法院（日本の最高裁にあたる）は、朝鮮半島出身労働者（徴用工）の人々に対する賠償を日本企業に命じる判決を下しました。徴用工とは植民地時代に日本の工場や炭坑などで働いていた朝鮮人を指します。戦後、日本は韓国政府とその補償について話し合い、1965年に**日韓基本条約**および**日韓請求権協定**を結びました。これは日本が有償無償の経済協力を行い、それによって戦時までの被害への韓国側による請求権はすべて消滅するという内容です。日本政府は判決が**日韓請求権協定**に反すると指摘して韓国に対処を求めましたが、韓国政府は動きませんでした。輸出管理問題や歴史認識の問題も残っています。日韓双方の考え方に隔たりが大きく、解決は容易なことではありません。

●尖閣諸島

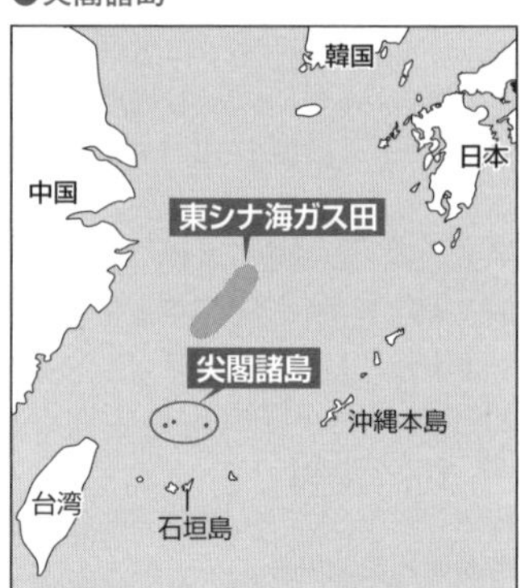

●竹島

●北方領土

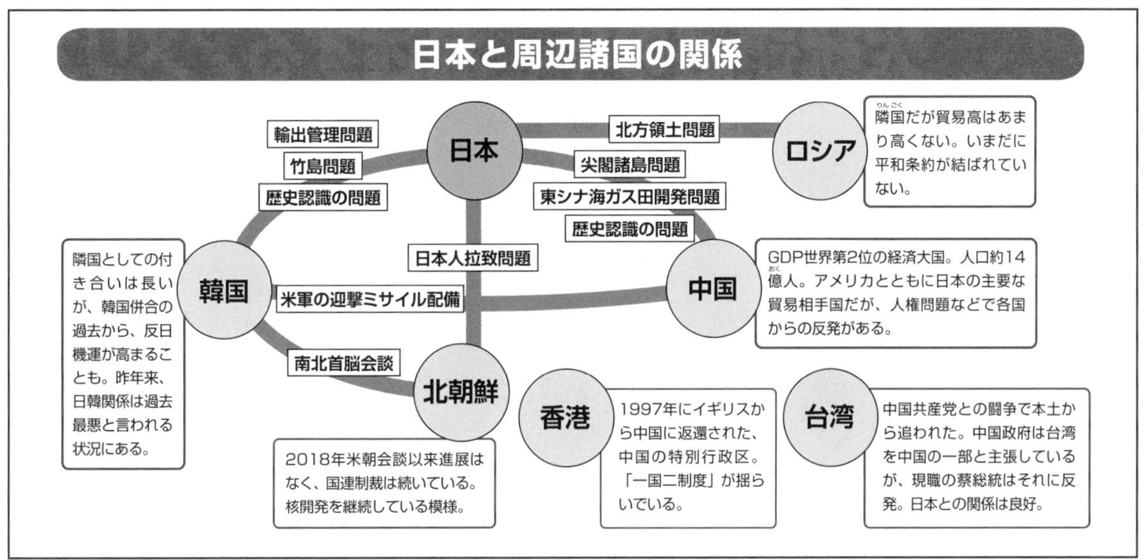

◆中国で香港国家安全維持法が成立。一国二制度は崩壊の危機

香港は、第二次世界大戦後、1997年までイギリスが中国（当時は清）から租借していた特殊な都市です。中国はその経緯を尊重し、返還の際に**一国二制度**――香港には本土とは違う特別な統治の方法を認める――の順守を約束しました。しかし実際には香港に対する中国の締め付けは徐々に強まり、住民は民主政や市民的自由が失われる不安を抱くようになりました。

2014年、香港の統治責任者である行政長官の選挙から民主派を排除する動きが出てくると市民は反発し抗議デモが発生します。この抗議活動は、デモ参加者が警察の催涙スプレーから身を守るために雨傘を用いたことから**「雨傘運動」**と呼ばれました。これは強制的に解散させられますが、その後も節目で活動を再開していました。

2019年６月、「中国で法を犯して香港に逃げた者の中国への送還を可能とする」という**「逃亡犯条例」**の改正が提示されると、激しい抗議デモが起こりました。中国にとって都合の悪い人物を本土に連行することが可能となり、香港の人々の人権が守られなくなる恐れがあると考えたからです。このときはデモ隊の要求を行政長官が受け入れ、条例案は取り下げられました。

しかし、2020年６月、中国は**全国人民代表大会**（日本の国会にあたる）で、**香港国家安全維持法**を成立、成立した同日夜より施行させました。この法律は、中国が治安維持の名目で香港市民を取り締まる内容です。しかもこの法律は香港の**他の法律よりも優先**すると規定されています。これによって、雨傘運動を率いた民主派の市民の逮捕や取り調べがすぐに始まりました。一国二制度の原則が大きく揺らいでいます。

こうした中国の強圧的な姿勢を見て、香港と似た立場にある台湾では、中国と距離を置く姿勢の民進党に人々の支持が集まっています。2020年１月の総統選挙では、同党の**蔡英文総統**が史上最多の得票数を獲得し、再選。台湾は新型コロナウイルス対策にも成功し、威信を高めています。

●一国二制度

社会主義国の中国が、自由主義・資本主義を採る地域を統治するための制度。香港とマカオは中国の特別行政区であり、自治を認められている。香港は1997年の返還から50年間は「一国二制度」が保障されていた。

●北朝鮮と日本

- 1970～1980年頃、北朝鮮が多くの日本人を拉致していた。目的は工作員（スパイ）に対する日本語や日本文化の指導などと考えられている。
- 多くの場合、拉致は北朝鮮工作員が日本の沿岸に上陸し、船で連れ去る方法で行われていたとされる。また、海外旅行中にだまされて北朝鮮に連れていかれた人もいると考えられている。
- 政府は拉致被害者として17名を認定しているが、他にも拉致の疑いのある行方不明者がいるため、これですべてかどうかは不明である。
- 2002年に小泉首相（当時）が訪朝。北朝鮮は日本人拉致を認め、5人を帰国させた。しかし、他にも拉致被害者が生存している可能性が指摘されている。
- その後、両国の関係が悪化し、拉致問題の進展はない。北朝鮮は日本の問い合わせに対して、拉致問題は解決済みと回答している。

●香港と台湾

国際・外交

大統領選の年、混迷するアメリカ

●黒人男性への暴行致死で抗議デモが広がる
●世界の新型コロナ感染の4人に1人が米国
●米国第一主義の4年が問われる大統領選

アメリカ・ニューヨーク市で行われた人種差別抗議デモ（8月24日 AFP＝時事）。

今アメリカが直面している問題は何？

◆白人警官による黒人殺害で抗議デモが全米に広がる

2020年5月ミネソタ州ミネアポリスで、武器を持っていない黒人の男性が警官に窒息死させられるという痛ましい事件が起こりました。その現場を目撃していた人がその様子を撮影しSNSに投稿すると、瞬く間に拡散して憤った人々による抗議デモが始まりました。デモはアメリカ全土で100万人が参加する大規模な運動に発展し、一部では暴動化しました。彼らはプラカードに“BLACK LIVES MATTER”という語句を掲げています。日本語に訳すのが難しい表現ですが、黒人差別問題への強い抗議を示しています。

アメリカではアフリカ系の黒人が警官に目をつけられたり、暴力的な扱いを受けたりするのは比較的多くみられるといいます。その背景にあるのは「黒人には犯罪者が多い」という**人種差別・偏見**です。今年だけでも武器を持たない黒人が警官に射殺される事件が何度も発生しており、長年続く差別に対する市民の怒りの蓄積が今回の抗議活動につながったとみられています。

かつて**公民権運動**を率いたキング牧師は有名な演説“I Have a Dream”の中で**アメリカ独立宣言**の「すべての人間は平等に作られているということは、自明の真実であると信じる」という冒頭の言葉を示し、**人種差別の撤廃**を求めました。それに応えて1964年の**公民権法制定**に尽力したのが、二人の大統領ケネディとジョンソンです。

一方現職のトランプ大統領は、SNSではかつての差別主義者のセリフを引用し、会見では抗議行動での暴動に重装備の兵士の投入を示唆する

●独立宣言

大英帝国に対して、北米大陸の植民地諸州が一致団結して独立を宣言した文書。トマス・ジェファソンが起草し、1776年大陸会議で採択された。自然権と個人の自由を基調とする文書の冒頭には「われわれは、以下の事実を自明のことと信じる。すなわち、すべての人間は生まれながらにして平等であり、その創造主によって、生命、自由、および幸福の追求を含む不可侵の権利を与えられているということ。」という文が置かれている。

●公民権運動

奴隷解放令後も南部諸州は州法によって実質的な差別を続けていた。これに対して1950年代後半から高まったのが黒人の平等権を求める公民権運動で、そのリーダーの一人がキング牧師である。1964年に公民権法が制定され、運動は目的を達成した。しかし、これで人種差別の問題が解決されたわけではなかった。

トランプ政権の4年間

自国第一主義・保守的価値観・分断の進行	
内政	**オバマケアの廃止**：オバマケアは前大統領が導入した医療皆保険制度。課題はあるが、皆保険制度を望む意見もある。
	メキシコ国境の壁建設：物理的に壁の建設は進んでいないが、メキシコや中米諸国に対策を要請し、監視カメラなどでの取り締まりも強化したことで、不法入国は減少。
	ロシア疑惑・ウクライナ疑惑：ロシアには2016年大統領選で協力を得たとされ、ウクライナにはバイデン氏の子息に関して調査を依頼したという疑惑。いずれも調査中だが、トランプ大統領は否定している。
	新型コロナ対応 ：世界一の死者数に達し、政策が批判されている。2020年７月、WHOからの脱退を発表。
貿易政策	**米中貿易戦争**：自国産業の保護と貿易赤字の削減をめざすトランプ大統領が、2018年７月、中国からの輸入品に制裁関税を発動したことがきっかけに、米中が互いに報復関税をかけ合う事態にエスカレート。2020年１月、貿易摩擦はひとまず緊張緩和に向かい、米中は貿易協議の「第一段階」と呼ばれる部分合意の文書に署名した。
	NAFTA（北米自由貿易協定）見直し：2018年11月、新たに「米国・メキシコ・カナダ協定（USMCA）」を立ち上げ、既存のNAFTAと置き換えた。
	環太平洋経済連携協定（TPP）離脱：2017年１月にTPPからの離脱を表明。残る11か国は2018年３月にアメリカ抜きで協定を結び直した（「TPP11」）
外交	**パリ協定離脱**：2019年11月、離脱を国連に通告。不公平な経済的負担が理由。
	米朝首脳会談：2018年６月シンガポール、2019年2月ハノイ、2019年3月板門店で三回の首脳会談を実施。初回は友好ムードで、世界平和・朝鮮の非核化について抽象的な目標に合意。二回目、三回目は決裂。
	イスラエルの米大使館をエルサレムに移転 ：2018年５月に実施。エルサレムは３つの宗教の聖地で政治的緩衝地帯。大使館移転はイスラエル全面支持を意味する。
	イラン核合意から離脱し、独自の制裁へ：2015年のイラン核合意は核開発の停止（10〜15年）と制裁緩和の合意。米国はイランが守っていないと非難し、2018年５月に離脱を表明。

など、刺激的な言動を繰り返し分断や差別を助長していると批判を受けています。50年以上経った今でも、アメリカの差別と偏見の根はなくなってはいません。

◆4年間のトランプ政権、「アメリカファースト」の残したもの

民主党・共和党を問わず過去のアメリカの大統領は、さまざまな問題があっても、唯一の超大国としての責任を果たす態度を取り続けてきました。それを一変させたのがトランプ大統領です。

2017年１月に就任すると、選挙中の標語「アメリカファースト」を実行に移します。世界的な協力で二酸化炭素削減をめざす**パリ協定**は米国に不利益であるという理由で離脱しました。経済面では保護主義を鮮明にし、中国や日本、メキシコなど米国側の輸入超過が大きい国に高い関税を課したり、そのような脅しで輸出促進を図るといった強引な姿勢を見せています。**TPPを離脱**したのも、多くの国が話し合う場では米国の主張が十分に通らないので、個別にEPAやFTAの交渉を行うことで、より有利な条件を引き出すことができるという考え方に基づくものです。

対外関係で目立つのは中国への強硬姿勢です。中国製品に対する高関税がもとで**米中貿易戦争**ともいわれる険しい状況が生まれています。また、スマホの出荷で世界有数の売上を誇る中国企業・華為（ファーウェイ）の幹部が、2018年12月にアメリカの要請によりカナダで逮捕されました。これは同社が業務を通じてアメリカの情報収集を行っている疑いをかけ

ているためと見られています。2020年には、「安全保障上の懸念」を理由に中国企業製のアプリの使用禁止を発表しました。さらに、中国が自国の一部と主張し、対立している台湾とも関係を急速に深めようとしています。経済的な躍進を遂げ大国に成長した中国への対抗姿勢が、トランプ政権になってからはっきりしてきました。

◆ニューヨークから全米へ広がった新型コロナウイルス

アメリカは**新型コロナウイルス**の被害が世界で最も甚大な国です。８月末時点で、世界の総感染者数約2,600万人のうち600万人超がアメリカです。死者は20万人に迫り、米国内の致死率は約３％となっています。

アメリカで最初の感染確認は１月21日、中国の武漢からの帰国者でした。その後当初は海外帰国者から感染が確認される程度でしたが、２月に入ると国内での感染が増え始めます。そのスピードは極めてはやく、ニューヨーク州では３月１日にたった１名だった感染者が、29日には１日で7,000名の新規感染者が確認される惨状となりました。急激な患者の増加に医療体制が追いつかなくなり、４月６日の時点でニューヨークを中心に全米の死者は１万人に達しました。

政府は検査の拡充などいくつかの手を打ったものの、経済停滞を恐れて国内の移動を効果的に制限することをせず、全土への蔓延を防ぐことができませんでした。８月末に至ってアメリカ全体としては峠を越し、やや落ち着いた状況ですが、それでも連日1,000人以上が死に至っています。他国と比べてピークアウト後も感染者、死者の人数が高止まりしているのは、国土が広く流行が遅れて始まる地域が続いているためと見られます。感染拡大地域は東海岸→西部・南部→中西部へと移り変わってきました。

コロナ対策で後手に回ったトランプ政権は、WHO（世界保健機関）の対応が中国寄りであったと非難し、WHOが大幅な改善に取り組まない限り、資金拠出を停止すると表明。2020年７月、WHOを2021年７月に脱退すると発表しました。

◆大統領選は州を取り合う二段階選挙

例年の**アメリカ大統領選**は２月からそれぞれの党が予備選挙を重ねたうえで７月の全国大会で候補者を指名し、それから遊説やテレビ討論を経て11月に選挙が行われるという流れです。しかし今回は感染症の蔓延によって集会が開催されにくくなり、勝手がちがう選挙戦になりました。

共和党
トランプ大統領

民主党
バイデン前副大統領

●保護主義
自国の産業の保護や育成を重視する交易の方針。他国からの輸入を禁止したり、あるいは関税をかけたりして国産品の競争力を守る。自由貿易を目標としつつも、それぞれの国で守りたい分野については、話し合いで解決していることが多い。

●アメリカの基本情報
人口＝３億2,755万人（2018年）
面積＝962.8万㎢
政体＝50州他から成る連邦国家
通貨＝ドル。
「世界の基軸通貨」といわれる。
GDP＝19兆3,906億ドル（名目、2017年）
※外務省HPより

●大統領の任期と被選挙権
任期＝４年
連続２期までしかできない。
被選挙権
・年齢＝35歳以上
・国籍等＝国内への在留期間が14年以上。出生時の両親がアメリカ市民権保持者であること。

チェック
アメリカの大統領の権限は強大
・国家元首
・陸海空軍の最高司令官
・行政府の最高長官
…などたくさんの役割を担っている。

チェック
現在、アメリカは二大政党制で、民主党と共和党が圧倒的多数を占める。

二大政党制

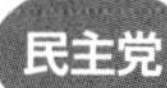

VS

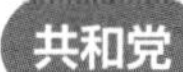

2016年大統領選挙の結果

2016年を例として大統領選挙制度を確認しよう。

- 二大政党制。共和党と民主党の候補による一騎打ち。
- 地図上の数字は各州の選挙人の数。全538人が人口に応じて割り振られ、選挙人が最も多いのはカリフォルニアの55人である。
- 州ごとに勝った候補者がすべての選挙人を獲得する。たとえば、ミシガン州はトランプ氏が約228万票、クリントン氏が約227万票の接戦だったが、勝ったトランプ氏が全16人を得る。
- ただし、メーン州とネブラスカ州は得票率で選挙人を配分する。
- 過半数の270人の選挙人を得た者が当選となる。
- 投票できるのは18歳以上。
- 共和党は中西部と南部で強く、民主党は西海岸と東海岸北部が地盤。

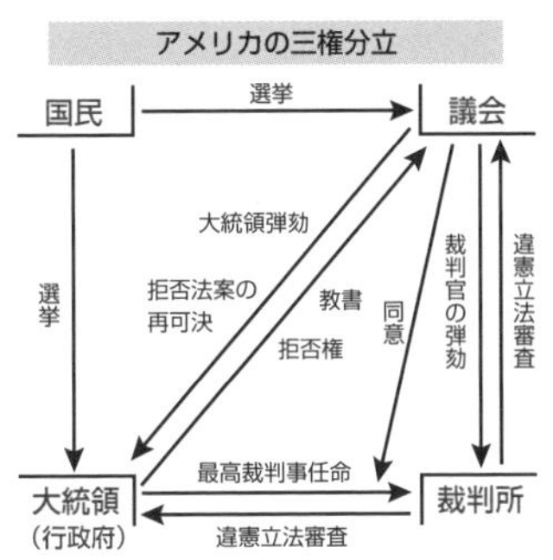

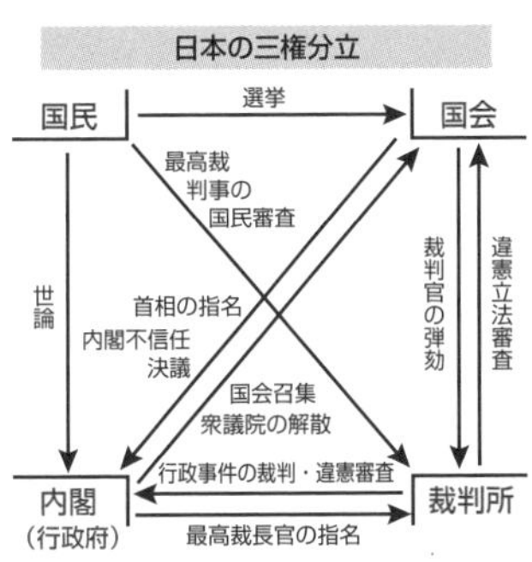

大勢で盛り上がる集会を開催しにくい分、インターネットやSNS、テレビ討論の影響が大きくなることは避けられません。

４年に１度行われる大統領選はどのような制度なのでしょうか。まず、大統領候補はあらかじめ副大統領を指名し、ペアで立候補します。今回は共和党がトランプ＋ペンスの現職コンビ、対する民主党はバイデン候補＋ハリス上院議員です。ハリス氏はインドとジャマイカにルーツがある女性です。少数派（マイノリティ）の共感を得易い人物と言えるでしょう。大統領に不測の事態があった場合、副大統領が後を継ぎます。実際、過去にはケネディ暗殺→ジョンソン副大統領、ニクソン辞任→フォード副大統領のように任期途中で副大統領が大統領に就任した例があります。

選挙は独特のシステムで行われます。大統領選挙で直接投票を行うのは538人の選挙人で、人口に応じて各州に割り当てられています。市民の投票は州単位で行われ、勝ったほうの候補がその州の選挙人全員を獲得します。そして過半数の270人に達したほうが、次の大統領になるのです。なお、メーン州・ネブラスカ州は得票率に比例して選挙人を両候補に分けるルールになっています。

世界中が注目するアメリカ大統領選は、2020年11月３日に実施されます。

国際・外交

ヨーロッパとEUの動き

●EU諸国でも新型コロナウイルスが猛威
●イギリスが2020年1月でEUを離脱
●一帯一路政策でヨーロッパに投資する中国

議会前広場で英国の欧州連合（EU）離脱を祝う人々（1月31日、イギリス・ロンドン中心部）。

EUを離脱したイギリスの今後は？

◆新型コロナウイルスの脅威はヨーロッパにも

新型コロナウイルスの脅威が、ヨーロッパにも及んでいます。イギリス、イタリア、フランス、スペインでは9月中旬までにそれぞれ2万人を超える死者が出ました。とくに患者が短期間で激増した春先には、イタリアなどで医療体制が追いつかず死亡率が高い状態となりました。

ヨーロッパ諸国でも新型コロナウイルスとの戦いが続いており、国によって対策はそれぞれ異なります。それらの政策が適切であるかを評価するには、コロナ禍の終息まで待つ必要があります。どのような政策をとるにせよ、国民の公平性を考慮しながら、「感染症対策をして医療崩壊を防ぐこと」と、「経済活動・社会活動を進めること」を両立させていくことが世界で共通の課題です。

◆イギリスがEU離脱。2020年いっぱいは移行期間で変化なし

イギリスでは2016年に**EU離脱**か残留かを問う国民投票を行い、約4％の差で離脱が決定しました。経済や交易を考えればすぐそばの単一市場のEUに留まる方が有利でしょうが、離脱派が勝利したのは「移民が流入して職を奪う」などの不満を抱く人が多かったためと考えられています。

3年半に及ぶ離脱交渉は難航し、難題だったアイルランド国境問題は解決したものの、通商等のルールについて完全な合意には到達していません。しかし、イギリスはジョンソン首相のもと離脱法案の成立にこぎつけ、2020年1月31日をもってEUから脱退しました。2020年いっぱいは移行期間となり、今まで通りEUのルールが適用され、その間に積み残しの問題を決着させることになっています。

●ユーロ
ユーロ(euro)はEUの統一通貨。1999年から導入され、2020年7月現在19カ国で使われている。ユーロの金融政策は欧州中央銀行（ECB）が行う。

●FTAとEPA
FTA（自由貿易協定）は国・地域間で関税をなくし、物やサービスの移動についての互いの自由化の合意。
EPA（経済連携協定）は、FTAの内容に、人の移動や投資、知的財産権の保護などを含む包括的な自由化の合意。

EU加盟国とユーロ圏（2020年9月現在）

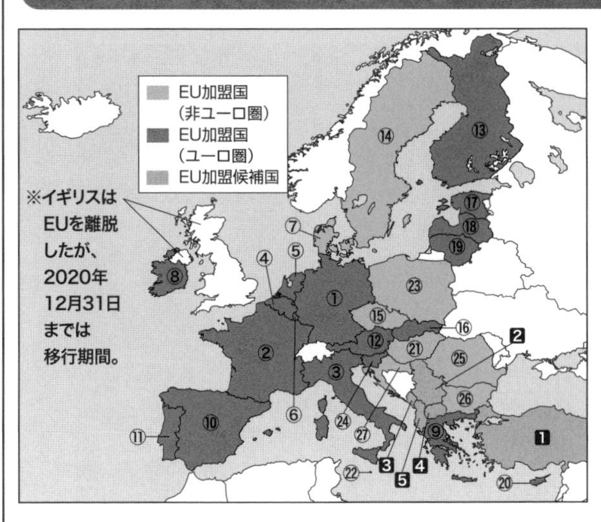

■加盟国

①ドイツ	②フランス	③イタリア
④ベルギー	⑤オランダ	⑥ルクセンブルク
⑦デンマーク	⑧アイルランド	⑨ギリシャ
⑩スペイン	⑪ポルトガル	⑫オーストリア
⑬フィンランド	⑭スウェーデン	⑮チェコ
⑯スロバキア	⑰エストニア	⑱ラトビア
⑲リトアニア	⑳キプロス	㉑ハンガリー
㉒マルタ	㉓ポーランド	㉔スロベニア
㉕ルーマニア	㉖ブルガリア	㉗クロアチア

■加盟候補国

❶トルコ	❷セルビア
❸モンテネグロ	❹北マケドニア
❺アルバニア	

▲EUの旗

※ユーロ圏…ユーロを導入している国々のこと。

チェック

●イギリスの正式名称

グレートブリテン及び北アイルランド連合王国

●アイルランド国境問題

イギリスは4つの地域の連合王国で、北アイルランドはそのひとつ。北アイルランドは隣国アイルランドとの間に長い国境線がある。

北アイルランドでは、20世紀後半、主に宗教的理由から帰属をめぐる激しい武装闘争が展開され、アイルランドとの国境を開放することで平和が戻った歴史がある。イギリスのEU離脱でこの国境がEU圏と非EU圏を分けるため、再び分断されるのでないかと懸念されたが、最終的に北アイルランドを経済特区扱いとし、これまで通り開放されることが決まり、危機は遠のいた。

イギリスは離脱によって得た政策の自由を活かし、世界中の国々と独自ルールで幅広く通商関係を深めるグローバル・ブリテンという構想を描いています。EUとFTAを結んでいる国々と概ね同一ルールで、イギリスは個別に協定を結び直す交渉を進めています。日本との交渉も行われ、記録的なスピードで合意する見通しとなりました。

一方、イギリス国内には不安要素があります。スコットランドは2014年に連合王国(イギリス)からの独立を問う住民投票を実施し、そのときは残留派が勝ちました。しかしスコットランドはEU加盟を強く望んでいたことから、独立問題が再浮上しています。

◆中国との関係で揺れるヨーロッパ

中国の**一帯一路構想**は、かつてのシルクロード沿いにインフラ整備を進め、現代の通商回廊としてよみがえらせることをめざす長期計画です。中国はその終着点となるヨーロッパに積極的な投資をしています。とくに東欧諸国を対象として「17＋1」という枠組みを作り、経済的な関係を強めようとしているのです。このうち12か国はEU加盟国であり、EUは中国をEUのライバルとして警戒を強めています。

2020年に、中国とヨーロッパの関係に影を落とす出来事が重なりました。イギリスは、中国が**香港国家安全維持法**を制定し、香港返還時に約束した**一国二制度**が形骸化されたのを見て、香港市民に5年間のビザを発給すると発表したのです。中国はこれに強く反発しています。

9月1日、「17＋1」の一国であるチェコ上院のビストルチル議長が台湾を訪問しました。台湾に海外の高官が訪れるのは初めてで、これは「台湾は中国の一部」と主張している中国にとって許容できない行動です。これらの動きが中国とヨーロッパの関係が変化する兆しなのか、今後が注目されます。

国際・外交

国際紛争と難民・移民問題

●難民が発生する原因は内戦・迫害・貧困
●経済破綻で難民流出が止まらぬベネズエラ
●行き場を失うロヒンギャ

アサド政権部隊による爆撃で立ち上る煙（シリア北西部イドリブ県サラキブ）。

世界に国を追われた人々がたくさんいるのはなぜ？

◆戦争や内戦で国から脱出した人々

難民とは、日常生活が破壊され、生活地域や自分・家族の命が危険にさらされて、やむなく国外に脱出する人々です。原因は内戦などの戦乱のほか、災害、迫害、そして命に関わる貧困などです。彼らが国境を越えると難民と呼ばれます。

難民は財産を持ち出すのが難しく、逃亡先では職を得るのが難しいので、貧困に直面します。難民が逃げてきた隣国などは人道的な立場で支援するのが通例ですが、人数があまりにも多かったり滞在が長期化したりすると、受け入れ国の負担も大きくなり、対応もしだいに厳しくなっていきます。

難民が一度に大勢やってきた場合には、受け入れ国と支援団体で**難民キャンプ**を設置します。難民キャンプには支援物資などが入ってくるので生存は確保できますが、状況はキャンプによって異なり、インフラが整い比較的まともな社会生活が成立しているところもあれば、劣悪な環境に難民が苦労するところもあります。

難民にとって最大の希望は、自国の争乱が鎮まり帰郷することです。それが無理である場合、安全に暮らせる国に受け入れてもらうことです。しかしなかなか実現せず、難民の立場で何年間もキャンプなどでの生活を強いられる人が少なくありません。

UNHCR（国連難民高等弁務官事務所）によれば、2019年末時点の世界全体の難民の数は約2600万人、国内避難民は4570万人でした。

◆ベネズエラ――経済破綻で社会が混乱し、多数の国民が難民に

20世紀後半を通じて国内の**貧困問題**に喘いでいたベネズエラでは、

●難民・避難民・移民
難民は戦乱、迫害、災害などで生活を破壊され、国外に脱出した人。
国内で安全な地域に移った人は避難民という。
移民は就職やよりよい環境を求めて個人の意志で別の国に移り住む人。

●UNHCR
国連難民高等弁務官事務所。戦争や内戦などで国外に出た難民、自国内で居住地から出て他の場所に移動した避難民、無国籍者などの支援を行う国連の機関。

●日本の難民対応
日本は1981年難民条約に加入し難民を保護する国際的な責務がある。しかし、日本で暮らすのに必要な難民認定は2016年以降毎年1万件を超える申請があるのに対し、認定されるのはいずれの年も50人以下で0.5％にも満たない。これとは別に第三国定住制度でミャンマー、シリアの難民も受け入れているが、非常に少ない人数に留まっている。

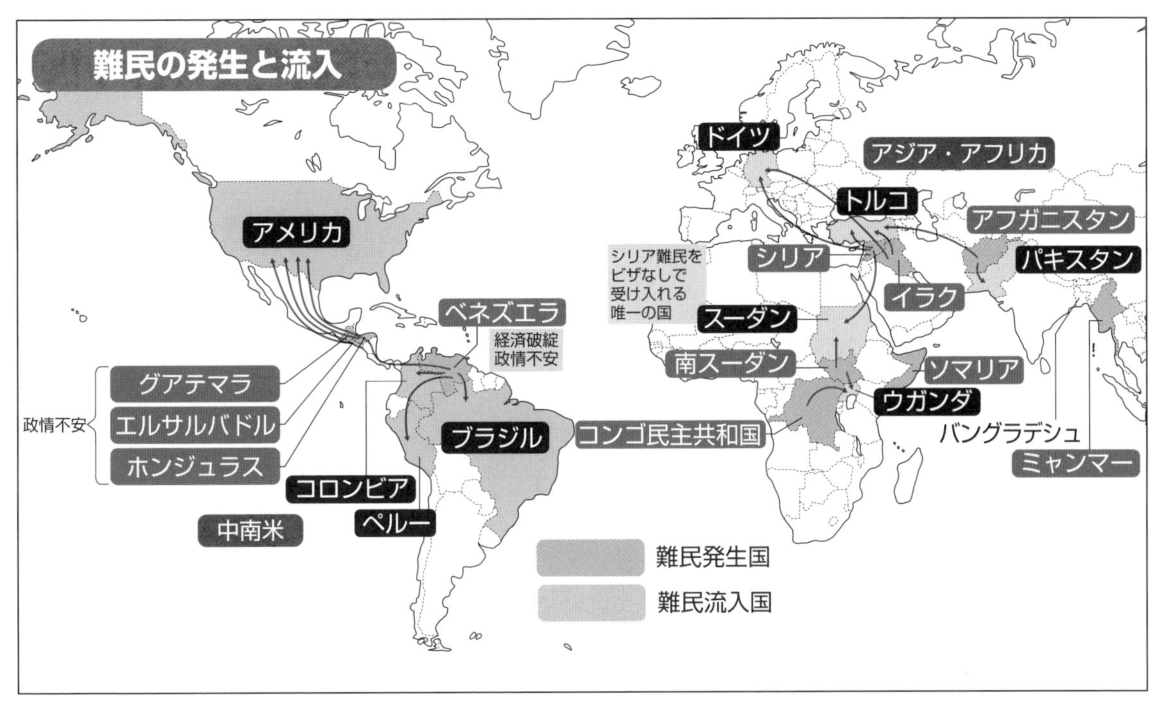

1999年に低所得者層の支持を受けて政権を得たチャベス大統領とその後継者のマドゥロ大統領が反米社会主義政策を推し進めました。ベネズエラは有数の産油国ですが、豊富な収入を利用したチャベス大統領の低所得への日用品の配給などのバラマキ政策は、製油所への投資を減らすなど自国の産業の育成を阻害してしまいました。マドゥロ大統領の時代になって原油価格が下落すると、国家経済は破綻。激しい**インフレ**が起きて生活が破壊されると、政治対立が深まって治安が極度に悪化しました。食糧難や暴力、経済的混乱によって故郷を追われた人々が、近隣のブラジルやコロンビアなどに逃れています。その数は2017年以降急増しています。

◆ミャンマー —— 不法移民として追われたロヒンギャ

ロヒンギャは主にミャンマーの西部ラカイン州に住み、イスラム教を信仰する少数民族です。国籍をもたず、ベンガル地方(現在のバングラデシュ)から流入してきたこと以外の由来は判明していません。

昔からロヒンギャはミャンマーの圧倒的多数派である仏教徒との間であつれきがありました。状況が悪化したのは民族主義的な軍事政権が成立してからです。移動の自由を制限されたり国籍を与えられなかったりという公的機関による締め付けが始まり、その後次第に迫害がエスカレートしました。現在、バングラデシュに逃れた90万人以上のロヒンギャが、難民キャンプでの厳しい生活を強いられています。

この問題は他の難民とは異なり、移民先で国民と認められる条件(居住期間等)が争点となっています。ロヒンギャがミャンマーに定着している民族であると主張しているのに対し、ミャンマー側は**不法移民**という認識なのです。そこに宗教や民族の差異が加わり、憎悪を増幅しているのです。

●第三国定住制度
迫害等のおそれがあって帰国できず、避難先の国でも支援を受けられなくなった難民を別の国が受け入れ、定住を許可する制度。

●改正出入国管理法
日本に入国または日本から出国する際の手続き、外国人の在留資格、難民認定などを規定した法律で、2019年4月に施行。労働力不足を補うため、日本での労働を希望する外国人の受け入れを特定分野に限って拡大した。入管業務の拡大に備え、法務省は入国管理局を外局として格上げし、「出入国在留管理庁」を新設した。

●アウンサンスーチー国家顧問
ミャンマーで軍事政権に対し民主化を要求し長く軟禁されていた反体制の象徴的な人物。1991年にノーベル平和賞を受賞。現在は国家顧問の地位にあり、困難なロヒンギャ問題に取り組んでいるが、はかばかしい成果は挙がっていない。

国際・外交

エネルギー問題と二酸化炭素削減

●非効率な火力発電所を廃止へ
●化石燃料は海外依存。輸入先の多様化を図る
●再生可能エネルギー実用化・効率化をめざして

風力発電の風車（ドイツ・シュレースヴィヒ＝ホルシュタイン州ニュービュル近郊 dpa/時事通信フォト）。

エネルギー供給とパリ協定の関係を教えて！

◆パリ協定発効で二酸化炭素削減への取り組みを加速させる日本

18～19世紀にかけて、人は石炭を燃やして大きなエネルギーを取り出す方法を見つけ、それを利用して爆発（ばくはつ）的に生産力を高めました。20世紀になると石油が石炭に代わって主役になりました。人類はこれらの化石燃料を燃やすことで生産活動は急激に拡大（かくだい）し続けてきたのです。このやり方は地中に眠っていた炭素を二酸化炭素という形で大気中に放出します。それによって地球全体の気温が上昇し、海面上昇や気候変動を起こすようになったとも言われています。今、人類は自らの産業活動の大発展がもたらしたマイナスの影響（えいきょう）に直面しています。

二酸化炭素などの**温室効果ガス**（GHG）を減らすには、世界中の国が利害を超（こ）えて協力しなければなりません。2015年に採択され、翌2016年に発効した**パリ協定**は、話し合いによって決まった**二酸化炭素削減の行動計画**で、世界の年平均気温上昇を産業革命以前より＋２度未満に抑える（さらに＋1.5度に抑える努力をする）ことを全体目標としています。各国は2020年までに自主的に削減目標を立てることを求められています。日本の目標は「2030年度にGHG排出（はいしゅつ）量を2013年度に比べ26％削減する」ことです。2011年の原発事故によって化石燃料の利用が増えていた年が基準（きじゅん）なのでやや地味な数字ですが、実行可能な目標を掲げて確実に約束を果たす姿勢で臨み、さらに前倒しの達成も視野に入れています。日本の長期的な目標は野心的で、2050年までに80％のGHG排出削減、今世紀後半の早い時期に脱炭素社会の実現をめざすとしています。

●シェールオイル
シェールは化石燃料の一種で、地中の頁岩（けつがん）層からガスやオイルの形で採掘（さいくつ）される。アメリカには巨大な鉱床（こうしょう）があり、採掘技術の進歩により増産が急激に進んだ。これが一因となって原油価格は下落している。シェールの生産増により、アメリカはロシア、サウジアラビアを上回る世界最大の産油国となっている（2019年）。

●産業革命
18世紀後半から19世紀にかけて起こった産業と社会構造の大きな変革のこと。イギリスから始まった技術革新で、特に紡績機などの機械の発明や蒸気（じょうき）機関の出現などでこれまでの手工業生産から工場制生産に変わり、経済や社会構造が大きく変化した。

世界の二酸化炭素排出量とパリ協定の内容

○京都議定書とパリ協定の比較

	京都議定書　1997年採択	パリ協定　2015年採択
目標	世界の温室効果ガス排出量を1990年の95%以下に削減する	世界の年平均気温を産業革命以前（1890年頃）より+2℃未満に抑える（+1.5℃に抑える努力をする）
発効条件	●55か国の批准 ●批准先進国の排出量合計が先進国全体の55%以上	●55か国の批准 ●批准国の排出量合計が世界全体の55%以上
内容	●先進国に国別削減目標を割り当て ●新興国、途上国は削減目標なし ●国際排出量取引のしくみをつくる	●先進国も途上国もすべて参加 ●各国が目標を自主的に設定、検証、5年ごとに報告する ※途上国の報告義務はゆる目 ●他国に協力し成果が出れば、自国の緩和に算入できる
未達の罰則	●あり　超過分の130%を次回上乗せ	●なし
途上国への資金援助	●先進国のみ義務	●先進国は義務 ●新興国には奨励
問題点	●アメリカ不参加 ●中国などの大口排出の新興国が削減義務を負わない	●アメリカ離脱 ●自主目標を積み上げて+2℃未満が達成できる実現性

○世界の二酸化炭素排出量

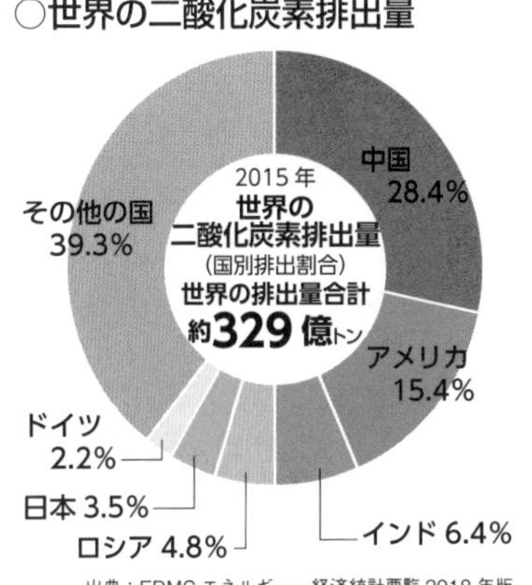

出典：EDMC エネルギー・経済統計要覧 2018 年版

京都議定書では、インドと中国は途上国なので削減義務がなく、これを不服とするアメリカが参加しなかったため、合わせて世界 50% を占める大量排出国上位３か国が削減に加わらなかった。議定書が発効したのもロシアの批准でようやく条件をクリアした 2005 年である。パリ協定はアメリカが離脱しても世界の排出量の 80% 以上が削減の努力の対象となる。ただし、各国がどのような削減目標を立てるかは 2020 年の提出期限までわからない。

◆化石燃料の利用を縮減し、再生可能エネルギーを将来の主力に

二酸化炭素削減を進める中でも、その時々のエネルギー需要は満たし続けなければなりません。エネルギーには電気・ガソリン・都市ガスやLPガス、石炭やコークスなどの形がありますが、その90％以上は化石燃料によるもので日本の場合ほとんどを輸入に頼っています。そして輸入先の90％近くは中東です。このように偏っていると、国際情勢の影響を受けて供給が止まるリスクが高まります。日本は、シェールオイルの開発で輸出を増やしているアメリカや、ロシア、中央アジアなど輸入先の多様化を模索し、また、備蓄の充実を図っています。

埋蔵エネルギー資源がない日本が、海外の化石燃料への依存を減らしていくためには、３つのポイントがあります。第一に**再生可能エネルギー**の実用化を進めていくことです。国は日本の多様な環境を生かせる再生可能エネルギーを将来の主力と位置づけ、電力価格の低下や広範な利用のための環境整備を進めています。

第二に効率化によって必要な量そのものを減らすことです。これは日本の得意分野であり、**福島第一原発の事故**により電力需給がひっ迫したことをきっかけに加速しています。2020年７月には経済産業省が、非効率な火力発電所の90％（100基)を2030年までに休廃止すると発表しました。この動きも二酸化炭素削減だけでなく、エネルギー効率の向上の効果が期待できます。

第三にエネルギーの地産地消を推進することです。再生可能エネルギーは原発のように一基で大規模な供給をすることはできない代わりに、土地の特性に合わせた発電方法で地域の実情に応じた電力を作り出すことができます。

これらの施策を総合的に実行していくことで、安定した**クリーンエネルギー**の供給を目指していこうとしています。

●EV（電気自動車）
電気をエネルギー源として走行する自動車。電気自動車は排気ガスや騒音を出さないといった長所があり、注目されている。ガソリン車、ディーゼル車の排出する窒素酸化物（NOx）などによる大気汚染に悩まされるヨーロッパやアジアの国々は、電気自動車への切り替えを急いでいる。2017年７月、フランスは2040年までにガソリン車やディーゼル車の国内での販売を全面的に禁止する方針を発表。欧州ではすでにイギリスも同様に正式発表している。またドイツ、オランダなども同種の計画を持っている。アジアでも中国、インドが、早期の電気自動車への切り替えを決めている。

●水素社会
水素は水などさまざまな資源から取り出せ、使用する際に二酸化炭素を排出しない次世代のエネルギー。すでに家庭用燃料電池や燃料電池自動車（FCV）は実用化されている。脱炭素社会への切り札として、技術革新・普及・拡大等の総合的な政策が進められることになっている。

奄美大島・西表島などが世界遺産をめざす

●世界自然遺産登録をめざし二度目の推薦
●亜熱帯雨林に生息する多くの固有種
●世界遺産リストの目的は保護と保全

仁徳天皇陵とされる大山古墳（大仙古墳）（大阪府堺市／時事通信フォト）。

世界文化遺産と世界自然遺産はどうちがうの？

◆登録をめざす「奄美大島、徳之島、沖縄島北部及び西表島」

例年６～７月に開催されるユネスコの**世界遺産委員会**が今年は新型コロナウイルス流行の影響で延期されているため、2020年８月末現在は結果待ちの状況となっています。今年の日本の世界遺産は「**奄美大島、徳之島、沖縄島北部及び西表島**」が、2011年小笠原諸島以来となる、日本で５件目の世界自然遺産をめざしています。

推薦エリアは素晴らしい自然の宝庫で、北緯24度～30度に位置する亜熱帯地域です。奄美大島、徳之島、沖縄島は列島をなし、植生は共通しています。それぞれの島に森があり、アマミノクロウサギやヤンバルクイナに代表される数多くの固有種が生息しています。沖縄島より台湾に近い西表島は広大なマングローブの林で知られ、絶滅危惧種のイリオモテヤマネコなどが生息しています。

◆2019年は百舌鳥・古市古墳群が登録

2019年は、「**百舌鳥・古市古墳群**」（大阪府）が世界文化遺産に登録されました。この世界遺産は、**大阪府堺市の百舌鳥**と、**羽曳野市・藤井寺市の古市**に点在する多くの古墳のうち49基を対象としています。なかでも面積では世界最大級の墳墓とされる**大山（大仙）古墳**が最も著名で、ここは**仁徳天皇陵古墳**とされています。これらはいずれも４世紀後半から５世紀後半の古墳時代最盛期に築造されたものです。

◆ユネスコの三大世界遺産事業

世界遺産は３つに分類されます。**自然遺産**は守り残すべき貴重で魅力ある自然の地形・地質、生態系、生物多様性を含む地域などが対象です。

●ユネスコ（UNESCO）

国際連合教育科学文化機関。1946年に設立された、教育・科学・文化の分野での国際協力を推進する機関である。世界遺産の登録はユネスコが開催する年一度の会議で、ICOMOS(国際記念物遺跡会議)またはIUCN（国際自然保護連合）の勧告に従って検討される。日本は1951年に加盟。

●百舌鳥古墳群と古市古墳群

●さまざまな古墳の形

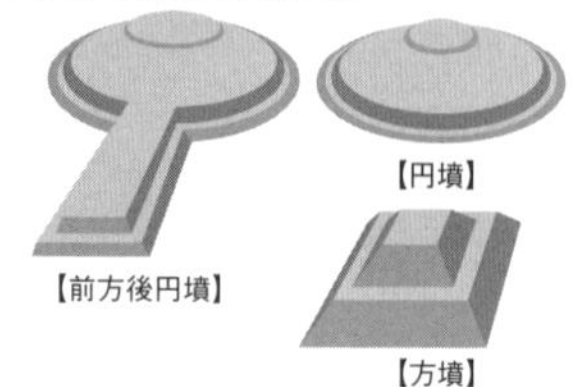

前方後円墳は巨大な古墳で、埋葬された人々の権力の大きさを現代に伝えている。日本最大の前方後円墳である大山（大仙）古墳の大きさは、全長約500m、横約300m。前方後円墳は近畿地方を中心に分布しており、大和政権と関係があると考えられている。

奄美大島、徳之島、沖縄島北部及び西表島の概要

西表島
山地が大部分を占め，島のほとんどが亜熱帯雨林に覆われている。河口部のマングローブの林に代表されるユニークな植物相の中には、イリオモテヤマネコ、カンムリワシ等の希少種の生息地がある。

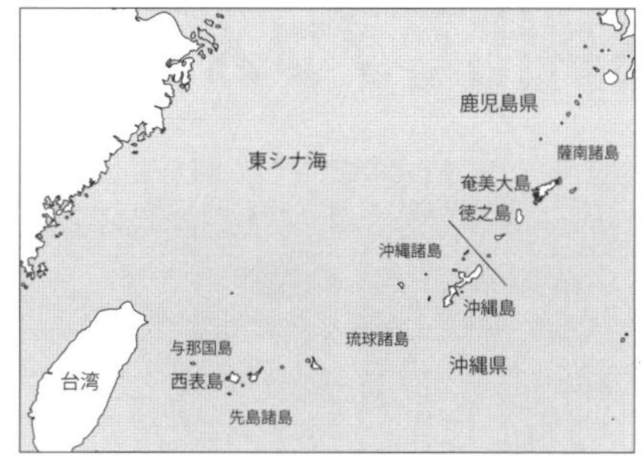

奄美大島・徳之島
奄美大島は島全体が山がちで平地は少ない。徳之島は山地と段丘からなる。隣り合う両島の植生はほぼ共通で、それぞれの中央部の常緑広葉樹林にはアマミノクロウサギなどの固有種が棲む。

沖縄島北部
やんばるの森（沖縄島北部）は湿潤温暖な亜熱帯海洋性気候により独特の多様な植物相で構成されている。生息する動物には、中国大陸から来て閉じた環境の中で独自の進化を遂げたもののほかに、この地域だけに生き残った固有種などがいる。

チェック
世界文化遺産への推薦を受けるには、日本国内で文化財として登録されていることが前提となる。

●文化財
国が指定・選定・登録する価値の高い事物。指定などを受けると保護の対象になる。以下の種類がある。
- ・有形文化財
- ・無形文化財
- ・民俗文化財
- ・記念物
- ・文化的景観
- ・伝統的建造物群

文化遺産は古来の人間の多面的な活動の痕跡や遺跡を保存するのが目的で、古代の遺跡から20世紀の時代の証言となる建築物や施設などが登録されます。これには負の歴史を体言する広島の原爆ドーム等も含まれています。さらに自然と文化の両方の要素を兼ね備えている場合は**複合遺産**と呼ばれます。代表的な例は、ペルーのマチュ・ピチュの歴史保護区やオーストラリアのウルル（エアーズロック）等です。

世界遺産は登録すれば安泰というわけではなく、登録後に価値を損なうようなことが起きると抹消されることがあります。これまでに２例あり、オマーンの自然遺産「アラビアオリックスの保護区」は政府が保護の意思を放棄したため登録を取り下げ、ドイツの文化遺産「ドレスデン・エルベ渓谷」は新しい橋の建設で景観が損なわれたとして抹消になりました。世界遺産は良好な状態で保護・保存することが重要な目的であり、登録後も努力を継続していくことが求められるのです。なお、2019年10月末に火事で正殿などが焼失した沖縄の首里城は、焼失した建物が世界文化遺産の構成資産ではないため、また復旧の意思を明確に示したため、抹消を免れると見られています。

◆世界遺産登録までの流れ

世界遺産リストを管理しているのは国連機関の**ユネスコ**（UNESCO）です。各国から登録の推薦が上がってくると、まず現地調査が行われます。文化遺産の場合、調査を担当するのは**ICOMOS**です。自然遺産は**IUCN**です。調査結果は登録・情報照会・登録延期・不登録の４段階で示されます。このうち「情報照会」は世界遺産としての価値はあるが情報が揃っていないという評価で、適切な追加資料を提示できれば登録となることもあります。「登録延期」は、このままの内容では登録できないという評価で、その年の登録はあきらめ推薦書をつくり直すのが通例です。事前審査の後、世界遺産委員会が開催され、そこでの検討を経て世界遺産として登録されるかどうかが決まります。

■世界遺産への登録まで

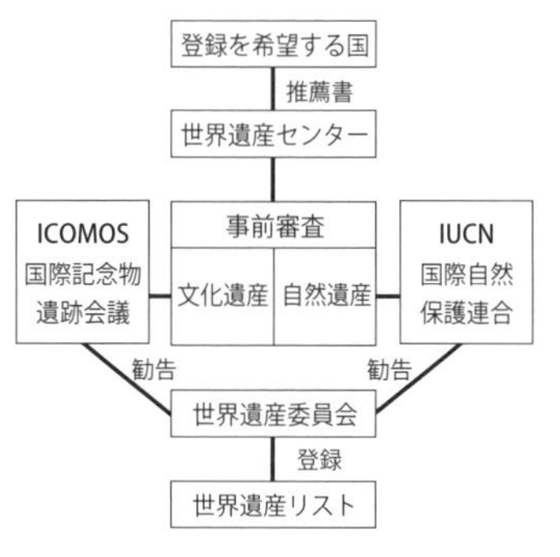

■ユネスコが進める三大遺産事業

世界遺産
世界で1,121件登録（2019年7月現在）

文化遺産 すぐれた価値をもつ建造物群、遺跡、文化的景観
▶（日本）平泉、古都奈良の文化財、厳島神社、原爆ドーム、富士山、富岡製糸場と絹産業遺産群、明治日本の産業革命遺産など

自然遺産 すぐれた価値をもつ自然美、地形・地質、生態系、生物多様性を含む地域
▶（日本）小笠原諸島、知床、白神山地、屋久島

複合遺産 文化遺産と自然遺産の両方の価値をもつ遺産
▶マチュ・ピチュの歴史保護区（ペルー）など
※日本には複合遺産はありません。

※日本の世界遺産は14・15ページのカラーページを参照

無形文化遺産
口承伝統、芸能、伝統工芸技術など、形のない文化遺産
▶（日本）歌舞伎、能楽、人形浄瑠璃文楽、結城紬、那智の田楽、和食、和紙など

世界の記憶
文書や書籍、絵画、映像、音楽などの世界的に重要な記録遺産
▶（日本）山本作兵衛氏作の絵画や日記などの作品、慶長遣欧使節関係資料、御堂関白記など

環境

レジ袋有料化でプラスチックごみ減量をめざす

- ●スーパーやコンビニのレジ袋が有料に
- ●マイクロプラスチックの影響が不安視される
- ●ごみの減量と、再資源化を進める

レジ袋の有料化に伴い、コンビニエンスストアのレジ周辺には周知ポスターが設置された（7月1日、東京都品川区）。

レジ袋の有料化のねらいは？

◆7月1日からスーパーやコンビニのレジ袋の有料化が義務に

2020年7月1日から、スーパーやコンビニ等の商店がこれまで買い物客に無償で提供していたレジ袋を有料で販売しなければならないことになりました。値段は店によってさまざまですが、2～5円とする店が多いようです（サイズで値段が異なる場合があります）。

レジ袋は石油化学製品で、**プラスチック**の一種です。プラスチック製品には一定期間繰り返し利用される多種多様なもの（入れ物・家具・化学繊維の衣服・漁網等々）があり、その中には使い捨てされるもの（レジ袋・包装容器・ペットボトル等々）が多くあります。そこでプラスチックごみの総量を減らす方策の一つとして**レジ袋有料化**が義務づけられました。レジ袋そのものが海洋プラごみに占める比率は限定的なものですが、プラスチック製品の使い捨てを減らす意識が社会に広がれば、今後につながる成果が期待できます。

◆捨てられたプラスチックごみが大量に海に溜まり、海を汚染

プラスチックは軽量なのに丈夫でさびにくい、くさりにくい、硬軟さまざまな用途に対応でき、しかも原価が安く済む便利な素材です。そのため世の中に大量に出回っています。しかし、古くなったり、壊れたりしたプラスチック製品のうち、適切に処理されなかったものの多くはやがて海に集まることになります。大量のプラスチックごみは、海の生態系に深刻な影響を与えていると考えられます。サイズが1㎜あるいは5㎜以下になった極小のプラスチックを**マイクロプラスチック**（MP）といいます。MPは海に流れこんだプラスチックが紫外線や波の作用で砕かれてで

●プラスチック容器包装廃棄量の比較

日本はプラスチック利用に占める容器包装の廃棄量の割合が高い。その廃棄量が多い国を比較すると、日本の廃棄総量は他の大口廃棄国より少なく見えるが、人口一人あたりの廃棄量でみるとアメリカに次いで二番目に多い。

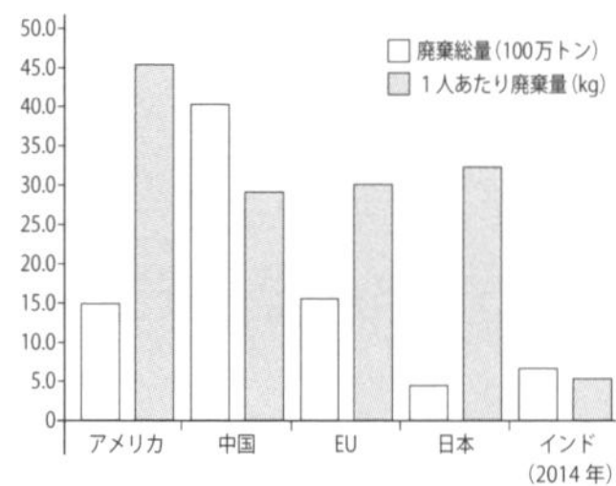

（2014年）

※環境省「プラスチックを取り巻く国内外の状況」より

プラスチックごみ対策の取り組みは？

マイクロプラスチック対策のメニュー

環境省は新たなプラごみの削減を進め、流出ゼロをめざす「プラスチック資源循環戦略」を公表しています。

リサイクルの行動目標

達成期限	2025年	2030年	2035年
削減（リデュース）		使い捨てプラスチックを累積25%排出抑制	
再利用（リユース）	リユース・リサイクル可能なデザインに	容器包装の6割をリユース・リサイクル	使用済プラスチックを100%有効利用
再生利用（リサイクル）		再生利用を倍増	
バイオマスプラスチック		約200万トン導入	

バイオマスプラスチック……原料として石油ではなく、生物資源（バイオマス）から作られたプラスチック。

海洋プラスチックゼロエミッション

プラごみ流出による海洋汚染が生じないことをめざす

- ○ ポイ捨て・不法投棄を撲滅。適正処理
- ○ 海岸漂着物等の回収処理
- ○ 海洋ごみの実態を把握
- ○ MP流出抑制の対策
  2020年までにスクラブ製品のマイクロビーズ削減徹底等
- ○ 代替イノベーションの推進

プラスチックスマート

プラスチックの削減や海洋流失防止には、消費者と自治体・NGO・企業などの協力が不可欠です。プラスチックスマートは、それぞれの行動を促すキャンペーンです。

目的	・ポイ捨て撲滅 ・ムダな使い捨てプラスチックの排出抑制 ・分別回収の徹底
消費者の行動	・包装や容器のポイ捨てをしない ・ごみ拾い活動への参加 ・マイバッグの活用 ・プラ製品のリユースなど
自治体・NGO・企業などの行動	・散乱ごみや海岸漂着物の回収 ・使い捨てプラスチックの排出抑制 ・バイオマスプラスチックや紙など代替素材の利用

きます。MPの有害性はまだ十分に解明されていませんが、生態系を壊したり、水産物の摂取などを通して人体に入り健康被害を起こしたりすることが心配されています。

海に広がってしまったMPを回収する手段はありません。安全が確認されたプラスチック代替品も、今のところ開発・実用化の見通しは立っていません。

◆プラスチックごみの問題を解決するために必要な3R

MPの問題は私たちの日常生活と密接に関係しています。「ムダなプラスチック製品を使わない」「分別してごみを出す」など、一人ひとりにできること、やるべきことはたくさんあります。消費者である私たち、商品を生産する企業、地方自治体、NGOなどそれぞれの立場から以下の3R活動で協力が必要です。

- リデュース（**R**educe）＝出すごみの量を減らすこと
- リユース（**R**euse）＝再利用すること
- リサイクル（**R**ecycle）＝再生産に回すこと

◆MP問題は世界の共通認識に

2018年のG７サミットでは、MP問題への対応方針を共有する「**海洋プラスチック憲章**」が承認されました。このとき日本はアメリカとともに署名を見送りました。翌2019年のG20大阪サミットでは、日本はこの問題の解決について積極的にアピールし、使い捨てプラスチック汚染対策で各国が協力する枠組みをまとめました。SDGsの中でも緊急の課題の一つとして、世界が協調して対策を実行していくことが求められています。

チェック

●レジ袋とマイバッグ

プラごみ減量対策としてマイバッグを使用することが推奨されているが、感染症予防の観点からはレジ袋の利用を望む意見もある。感染症対策とプラスチックごみ問題について多様な意見があるなかで、冷静な判断と長期的な視野が必要になる。

●海洋プラスチック憲章

2018年６月、カナダのシャルルボワで開催されたＧ７会合で採択された。海洋プラスチック汚染に関する危機感の共有と基本的な対応方針を示している。日本は趣旨に賛成するとしながら、国内の準備が整わず署名しなかった。

●SDGs

持続可能な開発目標のことで、2015年の国連サミットで採択された。持続可能な世界を実現するための17の国際目標、169のターゲットから構成されていて、日本もSDGsに積極的に取り組んでいる。

〈17の国際目標〉

①貧困の撲滅 ②飢餓の撲滅 ③健康・保健 ④教育 ⑤ジェンダー ⑥水・衛生 ⑦エネルギー ⑧経済成長・雇用 ⑨イノベーション ⑩不平等の是正 ⑪都市 ⑫生産・消費 ⑬気候変動 ⑭海洋資源 ⑮陸上資源 ⑯平和・公正 ⑰実施手段

人口

少子化で人口の減少が進む日本

●2019年の合計特殊出生率は1.36。低下が続く
●少子高齢化で国家財政がひっ迫
●安心して出産・子育てができる社会をめざす

東京・巣鴨の地蔵通り商店街を歩く高齢者。

どうすれば少子化を止められるの？

◆止まらぬ少子化と人口減少は経済力の低下に直結

政府が発表した2019年の日本の新生児は約86万５千人で、前年と比べて５万人以上の急減でした。この結果、同年の死者数との差し引きで日本の人口は１年間で50万人を超える減少となりました。政府は少子化対策によって**合計特殊出生率**を1.8まで向上させることを目標としていますが、1.42（2018年）→1.36（2019年）と低下が進んでいます。新生児数の減少や出生率の低下が長く続くと、やがて親になる男女の数も減ってくるので、**人口減少のスパイラル**に陥ってしまいます。2008年をピークに人口が減少に転じた日本は、その負のスパイラルに陥っており増加に転じる兆候は見られません。

人口は生産力や経済力に直接の影響を及ぼします。人口が減ると産業を支える労働力が減り、購買力も落ちるので、国内での企業活動は縮小することになります。これは国全体の経済が縮小することを意味します。

◆少子高齢化は財政を圧迫し、社会の活力を奪う

少子高齢化は国の財政も圧迫します。長寿はおめでたいことですが、平均寿命がのびていくにつれて年金の支払い額は膨らんでいきます。また、年を重ねるとどうしても健康を損ねて病院で治療を受ける機会が増えるので、医療費がかさむようになります。こうした社会保障費は毎年増加し、その一方で生産活動年齢の人口は先細りになっていき、生産性が上がらなければ税収も減っていきます。歳入不足で赤字国債を発行すると、政府の借金として積み上がっていくことになります。

問題はお金だけではありません。年金などの将来への不安が大きく、

●合計特殊出生率
一人の女性が一生に平均何人の子どもを産むかを示す数値。長期的に人口を維持するには、乳児死亡率が低い環境でも2.07が必要といわれる。

●超高齢社会
総人口に占める65歳以上人口の割合を高齢化率といい、21%以上の社会を「超高齢社会」という。日本はすでに超高齢化社会に入っており、今後も増え続けるとみられている。高齢社会白書では2065年に約40%に達すると推計している。

チェック

●高齢者の割合 過去最高を更新
総務省は、日本の65歳以上の人口は約3617万人、総人口に占める割合は約28.7%とともに過去最高を更新し、65歳以上の人口の就業者は16年連続で前年より増加し、約892万人となったと発表した。また、いわゆる「団塊の世代」（1947年～1949年生まれ）を含む70歳以上の人口は、約2791万人（総人口の約22.2%）（すべて2019年）。

●平均寿命
生まれたばかりのゼロ歳児が平均的に何歳まで生きるかを示す指標。日本の男性は81.41年、女性は87.45年である（厚生労働省、2019年による）。

マイナンバー制度

全国民に12桁の番号を与え、それによって、社会保障や税などを一元的に管理する制度。2015年10月に一人ひとりに通知され、2016年1月から行政手続きでの利用が始まった。マイナンバーの利点として、行政手続きが簡素になり、役所の事務が合理化され、不正や給付もれの防止効果があるとされている。その反面、情報漏洩による被害や、国の個人管理が進むことへの不安も指摘されている。

■マイナポイント

2020年9月より政府は、マイナンバーカードの保有者に買い物に使えるポイントを還元する「マイナポイント」事業を開始した。キャッシュレス決済サービスから一つをあらかじめ選んでおいてチャージや買い物をすると、利用額の25%分のポイントがつく事業である（上限5千円分）。

介護の負担ばかりがのしかかる社会では、閉塞感が漂い、活力が失われてしまいます。日本の多様な文化の継承も後継者不足で難しくなります。

◆労働力を確保しつつ、子どもを産み育てやすい社会に変えていく

人口減少から起きてくる問題の中で最も切迫しているのは**労働力不足**です。政府は**働き方改革**を進め、女性や障がい者や高齢者が従事する仕事を増やそうとしていますが、それだけでは人手が足りないので**外国人労働者**の受け入れ拡大を進めています。今後はAIやロボットが人のかわりに仕事を行い省力化を一層進めることも視野に入れています。

子どもが増えて社会の活力が自然に高まっていくことが求められます。**少子化**の原因は、社会や人の意識の変化・多様化が進み、結婚年齢が高くなり、出産年齢も上がり、さらには結婚しない人が増えているためです。したがって、子どもの数を増やすには、結婚が魅力的な選択肢となり、子どもを産み育てることに希望が持てる社会に変えていく必要があります。それには、保育施設を充実させ**待機児童**をなくすこと、働き方改革などによって、「社会全体で子育てをする」意識を育み、それを具現する仕組みを作っていくことが大切です。

2020年、新型コロナウイルスの感染が拡大したことで、少子化が加速することが懸念されています。経済が悪化したことで、失業者や賃金の低下する人が増え、出産や子育ての意欲が失われたり、未知のウイルスに罹患するリスクを避けたりすることがあると考えられるためです。

少子化を食い止めることは簡単なことではありませんが、知恵を出し合い対策していくことが必要です。

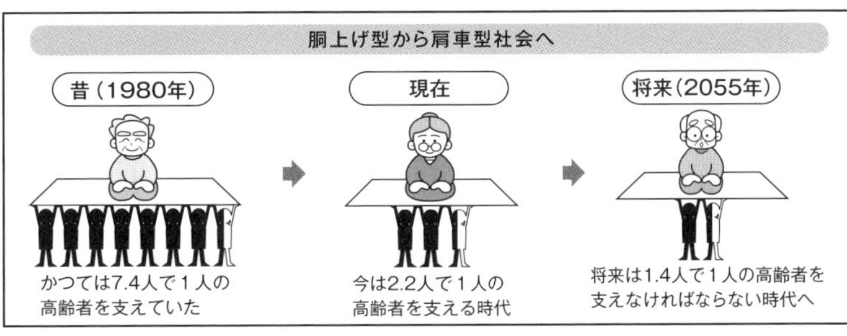

●外国人労働者数

外国人が仕事に就くには在留資格が必要である。政府は2018年６月、「2025年までに外国人労働者を50万人以上増やす」という計画を公表した。2019年４月には、人手不足が深刻な建設・農業・介護・宿泊・造船の分野を対象に、新たな在留資格「特定技能」を設定した。日本で就労する外国人は近年増えており、2019年の10月時点で過去最高の165万人を超えた。

チェック

●待機児童

保育園が満員で入れず空きを待っている児童のこと。核家族世帯では、両親が育児と仕事を両立するためには保育園が必要だが、都市部など保育園の絶対数が不足していて入りにくい地域がある。

交通

新駅「高輪ゲートウェイ」が開業

●品川・田町間に高輪ゲートウェイ駅開業
●AIやロボットを活用する未来志向の駅に
●老朽化した全国の高速道路をリニューアル

開業したJR山手線の新駅「高輪ゲートウェイ」(3月16日撮影・東京都港区)。

高輪ゲートウェイ駅はなぜ作られたの？

◆新駅「高輪ゲートウェイ」が開業

3月14日、山手線・京浜東北線の新しい駅が誕生しました。品川駅と田町駅の間にできた**高輪ゲートウェイ駅**(山手線JY26・京浜東北線JK21)です。両駅間の距離はもともとあまり長くないので、品川と高輪ゲートウェイの間は1km未満で加速する暇もないほどです。山手線の新駅としては49年ぶり、30番目の駅となります。

新駅の周りは、今はまだ閑散としています。ここにはもともと車両基地があり、東海道線などの在来線や、西へ東へと向かう寝台特急のブルートレインの車両等を置いておく場所でした。しかし、東海道線は高崎線と直通で群馬までつながり、寝台特急も廃止されて、東京や品川周辺に車両基地がなくてもよい状態になったのです。そこでJR東日本は都心の土地に新しい街をつくることにしました。「グローバルゲートウェイ品川」というコンセプトで現在4つの街区を建設中で、本格的な開業は2024年を予定しています。高輪ゲートウェイ駅と近接する都営地下鉄の泉岳寺駅から**東京国際空港(羽田空港)**に京急線が直接乗り入れているので、ここはたしかに「**世界に開かれた門**」なのです。そして歴史を振り返れば、高輪には江戸の玄関口、大木戸があり関所として栄えました。駅名の「高輪ゲートウェイ」にはそのような意味が込められています。

この都心の新駅に、JR東日本は「新しいことをはじめる場所」という役割を与え、さまざまな新機軸を導入しています。その一つが**AIサイネージ**です。これは利用者の音声を認識して、日本語、英語、中国語、韓国語で駅構内や周辺の案内、乗り換え案内などを行う表示板です。また、

●東京国際空港(羽田空港)
日本で最大の国際空港。4本の滑走路を備え、利用旅客数では世界で5位(2019年)にランクされている。都心からのアクセスがよく、品川駅から京急線エアポート快特で約13分、浜松町駅から東京モノレール空港快速で約13分、東京駅からリムジンバスで約35分で着く。

●リニア中央新幹線
時速500kmで走行するリニアモーターカーで、東京・大阪間を最速67分で走る次世代新幹線。始発駅は品川で、2027年に名古屋、2045年(早ければ2037年)に大阪までつながる予定。現在静岡県内のトンネル掘削による水資源や環境への影響をめぐって工事が停滞し、スケジュール通りの開業が危ぶまれている。

●高輪大木戸
江戸の南、東海道に設けられていた関所。江戸時代前期には往来の監視や警備も行われていた。高輪大木戸跡の石垣が現存する。

●高輪ゲートウェイ駅で働くロボット

▲消毒作業ロボット

▲警備ロボット（手前）とサイネージロボット（奥）

新駅と移転開業駅

■高輪ゲートウェイ

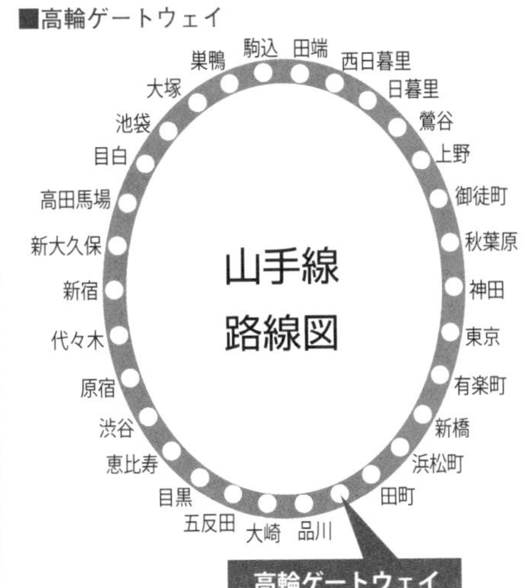

■銀座線「渋谷駅」が移転開業

2020年1月3日には東京メトロ銀座線の「渋谷駅」が移転開業した。新駅舎はホーム幅が拡幅され、エレベーターや多機能トイレといったバリアフリー設備も整備された。

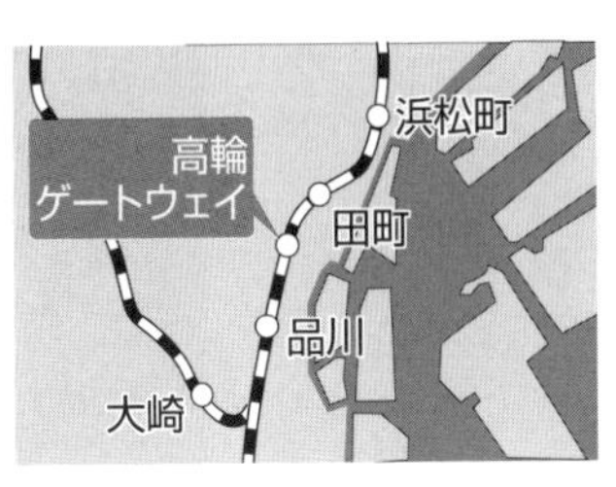

いろいろな姿・形のロボットがいて、手荷物運び・軽食＆飲料運び、消毒作業、警備などの仕事をしています。駅の無人売店「TOUCH TO GO」も未来志向です。店内の複数のカメラで客や商品の動きを認識して、客が商品を選んでレジにあたる決済エリアに行くと合計金額が提示され、電子マネーで支払いを済ませるという方式です。

このような未来型の駅ですが、和のデザインにも特徴があります。駅舎はガラス張りで福島県などを産地とする木材が要所に使われています。屋根は熱を通しにくく、光を透過する膜屋根もあり、柔らかい光が降り注ぐように設計されていて、和風の趣ある、明るく快適な空間です。

◆老朽化した高速道路を長期計画で大規模補修

日本の高速道路は、かつては国策として特殊法人の日本道路公団が建設や保守・整備を行っていました。2005年に民営化されて、全６つの会社が日本全国の高速道路に関する事業を行っています。

今、全国で進められているのが高速道路の**リニューアルプロジェクト**です。長年使ってきた道路、橋、トンネルなどは老朽化が進んでいます。これまでは検査で傷んだ個所を見つけてそれを補修するという作業を繰り返してきましたが、交通の安全を確保するために大規模な工事や設備の再建が必要なケースが増えてきました。そのような道路全体の抜本的な補修を行うのがリニューアル工事です。構造物の損傷や不具合が生じる前に行う保全や、性能を向上させる対策などを全面的に行い、同時に、高速道路の構造物が建造されてから使用を終えるまでにかかる費用を抑える工夫も加えていきます。大がかりなものだと橋の土台となるコンクリート建造物の作り直しなどもあり、これには数か月もかかります。各社は工期を短縮できる工法の開発などによって、供給網への影響をなるべく抑えて進めていく取り組みを行っています。

●特殊法人

通常の行政機関に担当させても各種の制度上の制約から能率的な経営を期待しにくいとき等に設立される法人。日本には33の特殊法人がある（2020年４月現在）。日本道路公団は2005年に解体・民営化され、東日本高速道路株式会社、中日本高速道路株式会社、西日本高速道路株式会社、本州四国連絡高速道路株式会社、首都高速道路株式会社、阪神高速道路株式会社の６社に分割された。

●運送運搬手段別の構成比

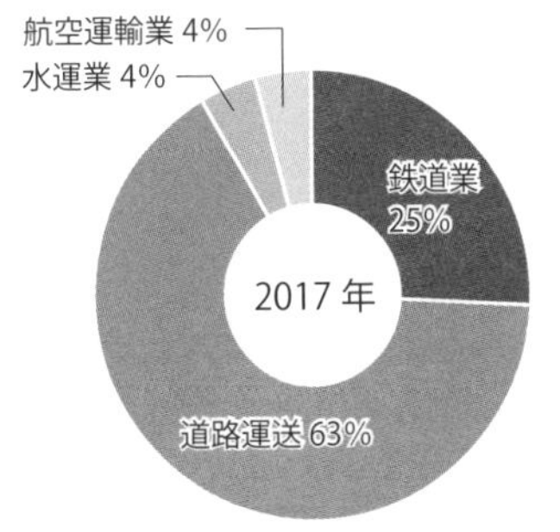

経済産業省HPより

情報化が進む社会とその危険

- ●ICTがオンライン授業など幅広い用途に活躍
- ●スマホの便利さが招く危険に注意
- ●SNSにもメディアリテラシーを

飲食店の店頭に表示されているQRコードや電子決済の案内。

ネットワークを使うときのルールは？

◆オンライン授業やテレワークを可能にしたICT

新型コロナウイルス感染拡大の影響が大きかった今年、多くの人が自宅のPC・タブレット・スマホ（スマートフォン）等を利用して仕事や授業に参加しました。このようなことができるのは、インターネットが普及し、画像や情報を高速で配信できる**インフラ**があり、テレビ会議などができる多くの**ソフトウェア**が開発されているからです。それを利用して、会社員が**テレワーク**をしたり、子どもたちは自宅で**オンライン授業**を受けることができたり、医師は自分の職場から遠方に住む患者の**オンライン診療**を行ったりできます。他にも**家族の見守り**など、距離や状況などの理由で直接対面できないケースに力を発揮するICTの有用性が広く実感される年になりました。ただしテレワークの場合、**セキュリティ**の問題があります。

◆便利なスマホには危険が伴う

子どもから高齢者まで、多くの人が**スマホ**を持ち歩く時代になりました。スマホは小さなコンピュータです。世界全体をカバーする**情報通信網（インターネット）**につながることで、電話、時計、カメラ、手帳、定期、通帳、財布、本、ゲーム機などの役割をこの一台ですべて果たすことができます。とても便利なものですが、その便利さを得るためには、さまざまな面で注意が必要です。スマホがサイバー攻撃で侵入されて個人情報をごっそり抜き取られ、銀行口座から現金を引き出される・勝手にクレジットカードを利用されるなどの被害に遭うこともあります。パスワードなどの情報をしっかり管理することが大切です。

●ICT（情報通信技術）
Information and Communication Technologyの略。インターネットのような通信のインフラを活用して情報や知識の共有を可能にする技術のこと。職場・医療現場・教育現場などさまざまな分野に導入され、仕事や学習、サービスなどの可能性の拡大や効率化に貢献している。

●キャッシュレス決済
金融機関に保有している口座を利用し、現金を使わず電子情報によって支払いをすること。クレジットカード、電子マネー、スマホ決済などがある。政府は、諸外国に比べて低い日本のキャッシュレス率を、2027年までに40%程度まで引き上げることを目標にしている。

●サイバーテロ
サイバー攻撃ともいう。インターネットを使って、ウイルスを送り込んだり多量のメールを送り付けたりして、ネットワークの機能にダメージを与え、社会を混乱に陥れる行為。

インターネット利用上の注意点

●わからないこと、困ったことがあったら、すぐに保護者や先生に相談しよう!
●パスワードやID、名前や住所などの個人情報の扱いは慎重に。

電子メール

●添付ファイルに注意
知らない人から送られた添付ファイルはウイルスかもしれない。

●チェーンメール・勧誘メールに注意
ほかの人にまわすようにうながすメールや、一方的に送りつけられる広告メールは無視しよう。

情報・サービスの利用

●ダウンロードは慎重に
ダウンロードしたファイルには、ウイルスがいるかもしれない。

●あやしいサイトに用心を
ウイルス感染を引き起こすサイトや有料のサイト、本物のサイトに見せかけて情報を盗もうとするサイトもあるので、よく確かめて利用しよう。

●ネットショッピングは大人と一緒に
買いたいものがあっても、必ず保護者に相談してからにしよう。

情報発信・掲示板

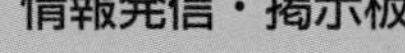

●著作権侵害にならないように
ホームページの写真やイラスト、文章、音楽などを勝手に使わない。

●個人情報やパスワードの管理に注意
むやみに自分の住所や電話番号を入力しない。他人に悪用されないよう、パスワードの管理に気をつけよう。

●掲示板やチャットに参加するときは、マナーを守って
人の悪口を書いたり、乱暴な言葉を使ったりしない。ネット上で知り合った人から誘われても、決して会わない。

インターネットは便利だけれど、確かな情報か、必要な情報か、しっかり判断することが大切だよ!

●SNS
Social Networking Serviceの略。インターネットを介して人々と交流できるサービス全般をSNSと呼ぶ。代表的なSNSにはツイッター、フェイスブック、インスタグラム、LINEなどがある。

●GAFA(ガーファ)
グーグル(検索エンジン)・アップル(端末メーカー)・フェイスブック(SNS)・アマゾン(ネット通販)の、アルファベットの頭文字をとった4社の総称。いずれもアメリカの会社で、情報通信技術関連で巨大企業に成長した。近年急激に成長した企業として注目される一方で、大量の個人データがこうした企業に集まっていることを心配する声もある。

◆求められるメディアリテラシー

SNSは大勢の人がインターネットで情報を互いに伝達・共有できることから、ソーシャルメディアと総称されます。SNSの普及によって、人々は新しいコミュニケーションの形を手に入れました。直接の知り合いという限界を超えて多くの人と共通の話題で話したり情報を交換したりできるのは素晴らしいことです。しかし、そこには悪意を隠して参加してくる人もいるので、危険が潜んでおり、用心しなくてはいけません。見知らぬ相手に個人情報を教えたりすると、トラブルや犯罪に巻き込まれることもあります。

SNSには被害者になる危険だけでなく、加害者になってしまう危険性もあります。今年はインターネット上での誹謗中傷が大きな問題になりました。多くの人が特定の個人を非難する書き込みを行うと、大量の攻撃を受けた側は精神的に追い詰められてしまいます。また、書き込みは誰でも見ることができるので、事実でなくてもその人の生活を破壊してしまうことがあります。

こうしたことは有名人だけに起きるのではありません。誰でも加害者にも被害者にもなってしまう可能性があります。マスメディアはもちろん、SNSで発信される情報についてもうのみにするのではなく、信憑性をよく確認し、それらを適切に活用する力(**メディアリテラシー**)が欠かせません。SNSにはデマ(誤った情報)も多く発信されています。疑わしい内容を拡散してはいけません。著作権の侵害にも注意しましょう。

2020年の○○年前に何が?

●国際連盟の失敗を経て国際連合が誕生
●大戦で分断された東西ドイツ再統一
●6千万人超が詰めかけた大阪EXPO70

日本武道館で開かれた全国戦没者追悼式（8月15日東京都千代田区）。

今年注目の歴史上の人物・出来事は何?

◆1920年に国際連盟成立〜今から100年前

ヨーロッパを二分し世界を巻き込んだ**第一次世界大戦**が終わったのは1918年です。翌1919年に開かれた**パリ講和会議**の結果、**ベルサイユ条約**が締結され大戦は終結しました。条約には、アメリカのウィルソン大統領が提案した、世界平和の維持を目的とする国際機関を設立することが謳われていました。これに基づいて1920年に設立されたのが**国際連盟**です。国同士の紛争を仲裁し戦争を未然に防ぐことを主な任務とし、裁定に従わず戦争に訴える国には経済制裁を行うことが規定されていました。しかし、

●ベルサイユ条約
1919年に調印された第一次世界大戦の戦後処理を決めた条約。戦勝国が利益をむさぼる従来の戦後処理のあり方に対し、ロシアやアメリカから無併合、無償金（無賠償）、民族自決等の原則が提案されたが、結局は敗戦国ドイツに巨額の賠償金が課された。またアジアには民族自決の原則が適用されないなど、問題を残す形になり、次の大戦を招くことになった。

■国際連盟と国際連合の比較

	国際連盟	国際連合
成立の背景	第一次世界大戦後	第二次世界大戦後
成立	1920年1月	1945年10月
本部	ジュネーブ（スイス）	ニューヨーク（アメリカ）
加盟国	最大59か国 アメリカは非加盟	193か国（2020年時点）
議決の方法	全会一致が原則	別表 →
裁定に従わない場合の制裁	経済制裁	経済制裁・武力行使
日本の関わり	設立当初に加盟 1933年に脱退	1956年加盟

■国際連合の議決方法

	総会	安全保障理事会
構成	全加盟国	常任理事国5か国 （米中ロ英仏） ＋ 非常任理事国 （任期2年）10か国
議決方法	加盟国各一票の多数決 ※重要問題は2/3の賛成で可決	15か国中9か国の賛成で可決 ※常任理事国は拒否権を持つ
法的拘束力	なし	あり

第二次世界大戦の後に設立された国際連合は、国際連盟の欠点を補い、機能を強化することを目指した。その結果、万全とは言えないものの今日まで75年にわたって存続し、世界の平和や民生の向上に大きな役割を果たしている。ただし、物事を決定して行動できるシステムを作るために加盟国の間の公平性が犠牲にされていることも事実である。

●「日本書紀」

奈良時代初期の720年に成立したとされる日本最古の正史。舎人親王が中心となって編纂された。神話・伝説の時代から、持統天皇(在位690～697年)までが記述されている。

奈良時代には、ほかにも以下のような史書等がつくられた。

「古事記」　稗田阿礼を語り部として太安万侶が記録。神話の時代から初代の推古天皇までが対象。

「風土記」　地誌と呼ばれるジャンルで、諸国の産物・地理・伝承などが集められた書物。

「万葉集」　4500首を収録した和歌集。貴人から庶民までさまざまな階層の人の歌が選ばれ、詠み人知らずのものもある。編者は大伴家持といわれる。

■2020年の○年前の出来事

1300年前	720年	「日本書紀」が成立したとされる
420年前	1600年	関ヶ原の戦いがおこる
400年前	1620年	メイフラワー号、アメリカ東海岸に到着
110年前	1910年	韓国併合
100年前	1920年	国際連盟が設立される
90年前	1930年	ロンドン軍縮会議
80年前	1940年	日独伊三国同盟が成立する
		大政翼賛会が成立する
		東京がオリンピックを返上する
75年前	1945年	第二次世界大戦が終結
		国際連合が設立される
70年前	1950年	朝鮮戦争が勃発
		警察予備隊が設置される
60年前	1960年	池田勇人内閣、所得倍増計画を発表
		新日米安保条約が発効
50年前	1970年	大阪万国博覧会
40年前	1980年	WHO（世界保健機関）が天然痘の撲滅を宣言する
		モスクワオリンピックに日本ら西側諸国が不参加
30年前	1990年	東西ドイツ統一
20年前	2000年	九州・沖縄サミットが開催
		介護保険制度がスタート
10年前	2010年	生物多様性条約第10回締約国会議（COP10）で、名古屋議定書が採択される

行動の決定は全会一致が原則となっていたこと・アメリカやソ連などの大国が参加しなかったこと・武力制裁ができないこと等が弱点となり、十分に機能を果たせませんでした。国際連盟には日本も設立当初から加盟していましたが、1933年に満州国不承認の決議を不服として脱退しました。

このようにあまり成功したとは言えない国際連盟ですが、この経験を踏まえて今から75年前の1945年に設立された**国際連合**はさまざまな国際問題に関わる機関として、影響力を発揮しています。

◆1945年に第二次世界大戦・太平洋戦争終結～今から75年前

1939年、先の大戦で失った領土の回復をめざすドイツはポーランドに侵攻。これに対してイギリス・フランスが宣戦布告し、ヨーロッパで**第二次世界大戦**が始まりました。一方太平洋では、1941年に日本がハワイ島に攻撃を仕掛け、日米が交戦状態となります。**三国同盟**の日本・ドイツ・イタリアと、イギリス・フランス・アメリカ等の**連合国**のいずれかに世界の多くの国が名を連ね、両陣営の戦いは約６年間続きました。連合国側がしだいに優勢を確立し、敗勢となったドイツは1945年５月に降伏します。日本も８月の広島・長崎への**原爆投下**の後、**ポツダム宣言**を受諾して降伏し、第二次世界大戦は終結しました。

◆1960年に新日米安保条約調印～今から60年前

1951年に日本は西側諸国を中心とする48か国との**サンフランシスコ講和条約**に調印しました。同時に結ばれたのが**日米安全保障条約**です。これによって日本にアメリカ軍基地が残り、日本はその費用を負担することになりました。しかし、条約の内容は日本にとって不満の残るものだったので、10年後の1960年に見直しが行われ、「アメリカは外部からの武力攻撃に対して日本を防衛する義務を負う」ことが明記されました。現在まで存続しているこの改訂版を**新安保条約**と呼びます。この条約は軍事面だけを見ると、日本が外部から攻撃を受けた場合、アメリカは防衛義務を負うのに対し、アメリカへの攻撃があっても日本は防衛義務を負わないという不均衡があり、アメリカではこの条約が「片務的である」と批判する人もいます。

◆1970年に大阪万国博覧会開催～今から50年前

万国博覧会とは、多くの国が参加して開催される文明の進歩・発展を紹介する国際博覧会です。1851年にロンドンで行われたのが始まりです。その後パリやウィーンで開かれた万博には明治時代になったばかりの日本も参加し、その展示物が人気を博しヨーロッパでジャポニズムが流行するきっかけになりました。

1970年には**大阪万博（EXPO'70）**が開催されました。77か国が参加して、自国の文化や科学技術の展示に工夫を凝らした国際イベントは大人気となり、半年間で6000万人を超える観覧者が訪れました。大阪万博の象徴として建造された岡本太郎作の巨大な「太陽の塔」は、現在は万博跡地の万博記念公園で見ることができます。

2018年11月、2025年に大阪で万国博覧会が行われることが決まりました。会場は大阪湾の人工島、夢洲（ゆめしま）で、「いのち輝く未来社会のデザイン」をテーマに、**SDGs（持続可能な開発目標）**が達成される社会のあり方を提示することになっています。2020年８月には、セル（細胞）をコンセプトとし、いのちの輝きを表現した作品が大阪万博のロゴマークに決定したと発表されました。

◆1990年に東西ドイツが統合～今から30年前

第二次世界大戦終了後、世界は二つの超大国、アメリカとソ連が対立する緊張の時代に入っていきます。両国とも大量の核兵器を保有し、危険すぎて直接戦争をすることはできません。そこで、地球の至るところで内戦や紛争に首を突っ込み、対立する陣営をそれぞれ背後から支援し、自らの勢力範囲を広げるための代理戦争を繰り広げたのです。こうした状況を**「冷戦」**と呼びます。冷戦は30年以上に及びましたが、1980年代になると、ソ連を中心とする社会主義の国々の経済が行き詰まり、破綻していきました。この動きは最終的にソ連とソ連の支配下にあった東欧諸国すべてに及び、社会主義体制は崩壊しました。東ドイツでも共産党の独裁体制が終わり、1990年にヨーロッパの資本主義国の中で最も繁栄している西ドイツと統一して、再出発することになりました。もともと大国の都合で分割された両国が悲願の統一を成し遂げたことは稀有な例といえますが、東西地域の経済格差は縮小傾向にはあるものの30年を経た今も残り、東側の経済振興が課題として存在しています。

▲ドイツ統一で旧帝国議会前にひるがえる旗（ドイツ・ベルリン 1990年10月3日/AFP＝時事）

理科 時事問題対策

理科 時事入試問題分析！

出題傾向と流行問題を徹底解説

理科の時事問題が定着!!
多くの学校で出題されている

1 理科の時事問題とは？

●理科の時事問題対策の重要性が増す！

近年、理科の入試問題でも時事問題がたびたび取り上げられるようになり、理科における時事問題対策は欠かせないものになっています。

社会科の入試では、地理・歴史・公民に加えて4番目の分野として時事問題が出されるのは定番となっていますが、理科の入試でも、ニュースで話題になった出来事を素材にした出題がたいへん目立っています。

環境問題をはじめ、台風・大雨・猛暑（もうしょ）などの気象、地震（じしん）・火山の噴火（ふんか）・竜巻（たつまき）といった自然災害（さいがい）、宇宙・天文、科学技術に関するニュースは、とくに出題頻度（ひんど）が高く、最新のニュースを事前に確認しておく必要があります。

理科の時事問題が出される背景（はいけい）には、自然科学そのものや、自然科学を基本とした現代技術や科学が日常生活に欠かせないものであり、身のまわりで起こる自然現象や自然科学の話題について、常に関心を持っていてほしいという学校側の思いがあります。

さらに、こうしたニュースは、単に知識として知っているかどうかだけでなく、ニュースをきっかけにして、「なぜそのようなことが起こるのか」「どうすれば解決することができるのか」という疑問や好奇心（こうきしん）を持って取り組めるかどうかの学習姿勢（しせい）も問われているといえます。

また、科学的なものの見方や考え方ができるかどうかも、理科の学習では重要なポイントです。単に教科書で過去の理論を学べばすむというものではなくなってきているのです。

2 理科の時事問題の出題状況は？

●2004年以降から激増している

理科の入試で時事問題がどのくらい重要なのか、どのような話題が多く取り上げられているのかなど、出題の状況（じょうきょう）を見てみましょう。

かつては理科の時事問題を扱（あつか）う学校は限られていました。東邦大学付属東邦をはじめ、頌栄女子学院、学習院、東海大学付属浦安、麻布、東京電機大学、芝浦工業大学附属など、理科の時事問題を積極的に出している学校を志望する受験生だけが、理科の時事問題対策をしておけばよかったのです。

ところが、2004年からグンと出題校が増えました。火星大接近という出来事があり、このニュースを取り上げる学校（それまで理科の時事問題を出していなかった学校を含む）が多かったためです。それ以降、多くの学校で理科の時事問題が出されるようになりました。なかでも冥王星（めいおうせい）が太陽系の惑星から準惑星に変更されたというニュースが取り上げられた2007年入試、皆既日食が取り上げられた2010年入試、「はやぶさ」や猛暑が取り上げられた2011年入試、金環日食が取り上げられた2013年入試などは数多くの学校が理科の時事問題を扱っていました。

今では、多くの学校で理科の時事問題が取り上げられるようになり、受験生は理科の時事問題を避けて通れなくなっています。

理科の時事問題は、ひと通り学習しておけば得点源になる可能性が高い事柄です。10点近くの配点をとる学校もあるため、理科の時事問題は入試前の重要な受験対策になります。

3 2020年入試 理科の時事問題を分析

●2020年は「はやぶさ２」の出題が目立った

2020年の理科の入試で多く取り上げられた話題は、前年に引き続いて「はやぶさ２」のニュースでした。続いて月に関する話題で、月食や日食の出題が見られました。惑星・月探査、天文・宇宙に関するニュースにも注意が必要です。また、夏の猛暑や台風といった気象をテーマにしたニュースも取り上げられています。

前年の2019年入試では、マイクロプラスチック・プラスチックごみに関する出題が目立ちましたが、2020年も引き続き出題されています。

出題頻度の高い時事分野は？ 2020年入試で出された時事問題の一例

●「はやぶさ２」・惑星探査・月探査
青山学院／桜美林／神奈川大学附属／専修大学松戸／東京学芸大学附属世田谷／法政大学第二／明治大学付属中野八王子／佼成学園／高輪／藤嶺学園藤沢／獨協／共立女子／聖園女学院など

●国際宇宙ステーション
穎明館など

●プラスチックごみの環境汚染
公文国際学園／桐光学園／森村学園／早稲田実業学校など

●日食・月食
国学院大学久我山／日本大学藤沢／駒場東邦／城西川越／浦和明の星女子など

●環境問題（パリ協定・温暖化・オゾン層・酸性雨など）
栄東／西武学園文理／東京都市大学等々力／桐光学園／桜蔭など

●霧
渋谷教育学園幕張など

●台風10号・15号など
湘南学園／青稜／広尾学園／筑波大学附属など

●地震（震度・マグニチュード・緊急地震速報など）
成蹊／浅野／攻玉社／サレジオ学院／光塩女子学院など

●外来種・在来種
千葉日本大学第一など

●火山
帝京大学／跡見学園／学習院女子など

●ブラックホール
学習院／頌栄女子学院など

●アポロ11号　月面着陸から50年
学習院／白百合学園など

●ノーベル賞
香蘭女学校など

2019年入試で出された時事問題の一例

●火星が地球に大接近
青山学院横浜英和／開智／国学院大学久我山／湘南学園など

●「はやぶさ２」
芝浦工業大学柏／西武学園文理／法政大学第二／学習院／攻玉社など

●皆既月食（１月31日・７月28日）、日食など
市川／慶應義塾湘南藤沢／湘南学園／茗溪学園／山手学院／麻布など

●夏の猛暑・熊谷市の最高気温の記録更新など
西武学園文理／青稜／芝浦工業大学附属／藤嶺学園藤沢／跡見学園など

●生態系・特定外来生物・食物連鎖・生物多様性など
公文国際学園／浦和実業／早稲田実業／慶應義塾普通部／駒場東邦など

●絶滅危惧種
浦和実業／駒場東邦／芝浦工業大学附属など

●白根山・新燃岳などの火山噴火、火山のしくみなど
お茶の水女子大学附属／日本大学／駒場東邦／芝／城北／聖光学院など

●ハワイ・キラウエア火山・グアテマラ火山の噴火
大妻／洗足学園／三輪田など

●ノーベル生理学・医学賞
東京学芸大学附属世田谷／海城／学習院など

●マイクロプラスチック・プラスチックごみの環境汚染
桜美林／東京都市大学等々力／学習院／香蘭女学校など

4 なぜ理科で時事問題が出されるのか？

●理科への関心、未来への応用力が試されている

理科は、自然界の出来事についての基本法則を学ぶものなので、本来は時事問題を取り上げる必要はなさそうに見えます。しかし、理科という学問は技術の進歩と大いに関係しています。例えば2006年には、冥王星（めいおうせい）が太陽系の惑星から準惑星に変更（へんこう）され、このニュースが2007年入試の多くの学校で出題されました。科学技術の進歩により、宇宙のなぞも日進月歩で新たな事実が明らかになってきているのです。従来（じゅうらい）の定説が変更されることもめずらしくありません。

技術の進歩は、人類の生活にも劇的（げきてき）な変化をもたらした反面、課題もつきつけました。その１つの例

出題例　宇宙開発に関する最近のニュースはたびたび出題されています。

<2020年度 桜美林中学校入試②>

問５　実際に日本の宇宙航空研究開発機構が打ち上げた小惑星探査機２機が小惑星の探査に成功しました。

（1）　宇宙航空研究開発機構をアルファベットで表したものを次の中から1つ選び，記号で答えなさい。

ア　GSOMIA　　イ　ICT　　ウ　JAXA　　エ　NASA　　オ　UKKK

（2）　小惑星探査機の名前とその探査機が行った小惑星の組み合わせとして正しいものを次の中から1つ選び，記号で答えなさい。

ア　はやぶさ―イトカワ　　はやぶさ2―カグヤ
イ　はやぶさ―イトカワ　　はやぶさ2―リュウグウ
ウ　はやぶさ―カグヤ　　はやぶさ2―イトカワ
エ　はやぶさ―カグヤ　　はやぶさ2―リュウグウ
オ　はやぶさ―リュウグウ　　はやぶさ2―カグヤ
カ　はやぶさ―リュウグウ　　はやぶさ2―イトカワ

〔解答〕（1）ウ　（2）イ

出題例　宇宙開発分野や地球環境分野など、理科の総合的な時事問題は注意が必要です。

<2020年度 聖園女学院中学校入試⑤>

以下の問いに答えなさい。

（1）　以下の文章は，2019年の宇宙開発に関連するニュースについて述べたものです。空欄に当てはまる語句を［語群］からそれぞれ選び，記号で答えなさい。

2019年2月22日，宇宙航空研究開発機構で開発された小惑星探査機（①）が，（②）へのタッチダウン（着陸）に成功しました。（②）には太陽系が生まれた頃の物質が残されていると考えられており，その物質を持ちかえることで，地球の海の水や，生命をつくる有機物はどこからやってきたのかを解明することが期待されています。

2019年4月10日，国立天文台などの国際チームが，巨大な質量の天体で，物質だけでなく光さえも吸い込んでしまうほど強力な重力をもつ（③）の撮影に成功しました。

2019年7月24日，アメリカの（④）11号が月面に着陸してから50年が経ちました。

［語群］
（ア）イトカワ　（イ）リュウグウ　（ウ）アポロ　（エ）オシリス・レックス　（オ）MOMO3号　（カ）はやぶさ2
（キ）ベンヌ　（ク）赤色巨星　（ケ）中性子星　（コ）ブラックホール

（2）　人間が生活をする中で排出される二酸化炭素が増加したことで，地球の平均気温がどんどん上がっています。これは地球温暖化といわれ，全世界で解決すべき環境問題の一つになっています。1997年には京都議定書，2015年にはパリ協定が採択され，世界中の各国が排出する二酸化炭素の削減目標を掲げ，さまざまな対策に乗り出しています。

個人でできる温暖化対策として間違っているものを次から一つ選び，記号で答えなさい。

（ア）いらなくなった雑誌を燃えるごみとしてでなく，資源ごみとして回収に出した。
（イ）暖房の温度を1℃低く設定した。
（ウ）買い物から家に帰るとき，バスを待たずにタクシーを使って帰った。
（エ）シャワーを浴びるとき，お湯を出しっぱなしにせず，必要なときだけ出すようにした。

〔解答〕（1）①（カ）②（イ）③（コ）④（ウ）　（2）（ウ）

が、産業革命以降の技術革新にともない、新たな課題となっている環境問題です。機械や飛行機、工場、自動車の普及などは人類の生活を便利にしましたが、それらを動かす化石燃料の燃焼によって地球環境は大きな影響を受けていると考えられています。

自然界の出来事を学び、自然をおびやかす事柄を理解し、さらには解決をはかる術を学んでいくことはとても重要な課題です。理科の入試に時事的な問題を取り入れ、理科に対する関心や未来への応用力を試そうとすることは、当然の流れといえます。

出題例 地球温暖化問題は、今後も出題が予想される大切なテーマです。

<2020年度 桜蔭中学校入試1>

問6 つぎの文章中の（カ），（キ）にあてはまる語句を書きなさい。

地球温暖化問題に関する国際的な枠組みを設定した条約が，「気候変動に関する国際連合枠組み条約」である。この条約の第3回締約国会議（COP3）で採択された「（カ）議定書」は，先進国のみに温室効果ガスの排出削減目標を課す枠組みである。2015年に開かれたCOP21では，2020年以降の気候変動対策について，先進国，開発途上国を問わず全ての締約国が参加する公平かつ実効的な法的枠組みである「（キ）協定」が採択された。

〔解答〕（カ） 京都　（キ） パリ

出題例 地球環境問題を取り上げた時事総合問題です。重要な語句はしっかりおさえておきましょう。

<2020年度 栄東中学校入試3>

問5 下線部⑤の環境問題について，**あやまっているもの**を次のア～オから2つ選び，記号で答えなさい。

ア オゾン層は太陽光に含まれる有害な赤外線を吸収するはたらきをもち，オゾン層が破壊されると皮ふがんが増えるなどの影響が出る。
イ フロンガスが原因でオゾン層が破壊され，オゾンホールが形成されている。
ウ 酸性雨は自動車の排気ガスや工場の排煙などに含まれる物質が雨雲に溶けこんで，硫酸や硝酸となった雨水のことである。
エ 砂漠化は大規模な家畜の放牧や森林伐採などが原因で起こる。
オ 地球温暖化とは，温室効果ガスの他に，エアコンの使い過ぎや道路がアスファルトでおおわれることで気温が高くなることである。

〔解答〕 ア・オ

出題例 生物に関するニュースを扱った時事問題です。

<2020年度 千葉日本大学第一中学校入試1>

問7 下線部④について，地球温暖化によって生物が減少するしくみを説明した文としてまちがっているものを次のア～エから選び記号で答えなさい。

ア 生物ごとに生存に適した気温があり，温暖化により生存できなくなる。
イ 温暖化により干ばつが起こり，ほとんどの生物が生存できなくなる。
ウ 暴風雨や洪水が起こりやすくなり，多くの生物が死めつする。
エ 温暖化により海水面が下降し，多くの魚類が死めつする。

問8 下線部⑤について，外来種についての説明として正しい文を次のア～エから選び記号で答えなさい。

ア 外来種との競争によって日本の在来種が減少することがある。
イ 海外の生物が日本に来るのみで，日本の在来種が海外ではんしょくすることはない。
ウ 外来種がはんしょくしても在来種との雑種が生まれることはない。
エ 海外から入ってきたすべての生物がはんしょくする。

〔解答〕 問7 エ　問8 ア

5 理科の時事問題対策は？

●日頃からニュース・新聞に目を通すこと

2021年入試では、どんなニュースが取り上げられると予想されるのか、チェックしましょう。

例年と同様に、気象や自然災害、天体、宇宙、自然環境、さらに外来種、医療分野などで注意が必要です。また、今年は新型コロナウイルスの世界的大流行というこれまでにない難題が人類を襲いました。感染症やウイルスに関するテーマは注意が必要です。

また、レジ袋の有料化が2020年７月に義務づけられました。身近なところでも話題になっているプラスチックごみの問題にも注意しましょう。マイクロプラスチックと海洋汚染は関連して出題される可能性が高く、社会科でも出題が見込まれる話題です。

宇宙分野では、小惑星探査機「はやぶさ２」の小惑星「リュウグウ」への着陸成功のニュースが話題になりました。そのミッションを終えて、2020年末に帰還する予定です。この話題は日本の技術力の高さを示すものとして注目されます。

出題例 近年、最も出題頻度が高い「はやぶさ2」に関連する基本的な出題です。

<2020年度 青山学院中等部入試1>

次の問いに答えなさい。

（1） 小惑星探査機はやぶさ2は，2019年7月に地下物質の採取のため，ある小惑星への着陸を成功させました。その小惑星の名前を選びなさい。

ア ヒマワリ　イ イトカワ　ウ リュウグウ　エ アカツキ　オ カグヤ

〔解答〕 ウ

出題例 プラスチックごみの問題は今後も注意が必要です。

<2020年度 桐光学園中学校入試1>

現在，私たちはマイクロプラスチックによる汚染や地球温暖化などの環境問題に直面しており，世界規模での対策が必要となっています。次の文を読み，以下の各問いに答えなさい。

東京湾でとれたカタクチイワシを調べたところ，体の中からさまざまなマイクロプラスチックが出てきました。1枚のレジ袋から，数千個のマイクロプラスチックができると言われていますが，どのようにマイクロプラスチックができるのでしょうか。

プラスチックの多くは，はじめは河川や海面近くに浮いています。特に生産量が多いレジ袋やストローなどは，水よりも（ａ）ため，小さくなっても浮いています。そこに（ｂ）があたり続けるので，くずれやすくなります。さらに海岸にプラスチックが落ちていると，（ｂ）があたるだけでなく，海岸の砂浜の（ｃ）で，さらにくずれやすくなり，より小さなプラスチック片になっていくのです。

世界的にみると，ペットボトルでの飲料水の販売を禁止する地域もあります。プラスチック製の使い捨て容器や食器を禁止する法律ができて，プラスチックゴミについては，リデュース（減らす），リユース（繰り返し使う），リサイクル（材料として再活用する）の中でも，まず（ｄ）しようというのが大きな流れとなっています。

【1】 文中の（ａ）～（ｄ）に適する語句を次のア～シから1つずつ選び，記号で答えなさい。

ア 風　イ 魚　ウ 熱　エ 軽い　オ 重い　カ 多い　キ 少ない　ク 日光　ケ 水分
コ リデュース　サ リユース　シ リサイクル

【2】 プラスチックは，主に化石燃料である石油を原料として人工的に作られます。プラスチックを完全に燃焼させると，ある気体が発生します。その気体の作り方を次のア～エから1つ選び，記号で答えなさい。

ア 石灰石に塩酸を加える。
イ 鉄にうすい硫酸を加える。
ウ 過酸化水素水に二酸化マンガンを加える。
エ アルミニウムにうすい水酸化ナトリウム水溶液を加える。

【3】 ペットボトルの原料になるプラスチックの性質としてあてはまらないものを，次のア～オから1つ選び，記号で答えなさい。

ア 加工しやすい　イ 薬品に強い　ウ 軽くて丈夫　エ 電気を通しやすい　オ 腐りにくい

〔解答〕【1】（ａ）エ （ｂ）ク （ｃ）ウ （ｄ）コ　【2】 ア　【3】 エ

天体分野では、月食や日食に関する問題は毎年出される重要テーマです。

近年の傾向として気象に関する話題も目立ちます。猛暑や大雨、台風、竜巻といった気象現象や、熱中症、猛暑日、真夏日、熱帯夜といった気象に関する用語も確認しておきましょう。

2020年夏には九州を中心に集中豪雨が発生し、大きな被害をもたらしました。その後も各地で局地的豪雨が発生しています。

また、台風の話題もたびたび取り上げられています。今年も台風による被害が出ています。さらに2020年は、梅雨明けが遅かったこと、８月から９月に猛暑が続いたことが特徴でした。特に2018年に国内最高気温を記録した埼玉県熊谷市の41.1度と並ぶ最高気温を静岡県浜松市で観測したことも話題の一つです。

例年、日本は地震や火山噴火などの自然災害に見舞われ、大きな被害が出ています。地震のメカニズムや緊急地震速報のしくみ、火山の種類などの問題は毎年出されており、2021年入試でも出される可能性があると考えられます。

入試では、毎年その年の10月に発表されるノーベル賞に関する話題が出題されていますので、ノーベル賞のニュースもチェックしておきましょう。

理科の時事問題の傾向＆特徴

1. 出題する学校が増え、出題率が高まっている。
2. 出題範囲が拡大傾向にある（環境問題やエネルギー問題など）。
3. 自然災害や地球環境に関する出題が目立つ（地震、土砂災害、火山の噴火など）。
4. 総合問題の導入として時事素材が扱われることがある。
5. 自然環境、生態系に関する話題が増加傾向にある。
6. ノーベル賞の話題があった年には、その研究の原理や成果が問われる。
7. 気象に関連した出題が目立つ（台風、ゲリラ豪雨、猛暑など）。
8. 天文・宇宙開発に関する新しい話題が取り上げられる。

出題例　ノーベル賞のニュースは、受賞後、研究の内容や成果を確認しておきましょう。

<2020年度 香蘭女学校中等科入試1>

問１　2019年は，日本の吉野彰（あきら）をはじめとする３人の科学者がノーベル化学賞を受賞しました。この３人の受賞内容に関係するものは何ですか。次のア～オから１つ選び，記号で答えなさい。

ア　緑色蛍光（けいこう）タンパク質　　イ　リチウムイオン二次電池　　ウ　青色発光ダイオード　　エ　iPS 細胞　　オ　ニュートリノ

〔解答〕 問１　イ

出題例　地震に関する重要語句をはじめ、地震発生のメカニズムなども理解しておきましょう。

<2020年度 成蹊中学校入試2>

（１）「地震を観測した場所での地震のゆれの強さ」を表す語句として正しいものを，次のア～エの中から１つ選び，記号で答えなさい。

ア　縦ゆれ　　イ　横ゆれ　　ウ　マグニチュード　　エ　震（しん）度

（２）日本で「地震を観測した場所での地震のゆれの強さ」を表す一番大きな数字として正しいものを，次のア～オの中から１つ選び，記号で答えなさい。

ア ６　　イ ７　　ウ ８　　エ ９　　オ 10

〔解答〕（１）エ　　（２）イ

時事問題については、大きな目玉となる話題が少ない年は、その年の出来事だけではなく、２～３年前に注目されたニュースが取り上げられることもあるので、その準備もしておく必要があります。

時事問題の出題内容は、比較的限定されるので、対策をしやすい面があります。入試直前の得点アップをはかるうえでもその対策は欠かせません。日頃（ひごろ）からニュースや新聞に目を通し、理科に関連する記事をスクラップするなど、地道な作業を続ける学習が効果的です。理科のメモ帳をつくり、「いつ、だれが、どこで、何をしたのか」をまとめ、書き残す習慣をつけるのもよいでしょう。このような作業は、時事問題に限らず、主体的な学習姿勢（しせい）にもつながり、とても有効です。時間に余裕（よゆう）がない受験生は、本書を活用し、まずは時事問題で出されそうな知識を身につけることから始めましょう。

出題例 理科の時事総合問題です。

<2020年度 学習院中等科入試①>

次の各問いに答えなさい。

① 万能細胞（ばんのうさいぼう）を利用した医りょうの分野では，新しい技術が進んでいます。昨年大阪大学チームが世界で初めて成功した，移植手術で使われた人工多能性幹細胞（iPS 細胞）から作った臓器を選び，記号で答えなさい。

A 角まく　B 皮ふ　C 小腸　D 大腸

② 北海道むかわ町穂別（ほべつ）で発見された恐竜（きょうりゅう）が，昨年新種であると発表されました。この恐竜の学名（学術上の世界共通の名前）を選び，記号で答えなさい。

A エゾサウルス・ジャポニクス　B ムカワサウルス・ジャポニクス

C ホベツサウルス・ジャポニクス　D カムイサウルス・ジャポニクス

③ 昨年は人類の宇宙開発において，ある大きな出来事から50周年という節目の年でした。その出来事を選び，記号で答えなさい。

A 月面に人類を送るために，アポロ11号が打ち上げられた。

B 火星に探査機を着陸させるために，バイキング1号が打ち上げられた。

C 太陽系にある複数のわく星を観察するために，ボイジャー１号が打ち上げられた。

D 機体の再使用を可能とした有人宇宙船スペースシャトル「コロンビア号」が打ち上げられた。

④ 昨年，日・欧（おう）・米の研究チームが初めてブラックホールのさつえいに成功しました。このとき公開された画像に写っていた形を選び，記号で答えなさい。

A 円形　B うずまき型　C だ円形　D ドーナツ型

〔解答〕 ① A　② D　③ A　④ D

出題例 気象に関する問題や自然災害はたびたび取り上げられるテーマです。

<2020年度 青稜中学校入試④>

2019年9月8日～9日にかけて関東地方を直撃した台風15号は，首都圏に非常に大きな影響を及ぼしました。次の文章を読んで，以下の各問いに答えなさい。

> 2019年9月5日に日本のはるか南東海上で発生した台風15号は①比較的速い速度で伊豆諸島付近までほぼ真っ直ぐに北西に移動した。その後，弧（こ）を描くように進路を北から北東へと変え，9日の午前3時前に［ A ］を通過した後，東京湾を通過し9日午前5時前に［ B ］付近に上陸した。上陸時の気圧はおよそ960hPa で中心付近の最大風速は40m/ 秒で［ C ］の台風としての上陸となった。
> この台風の影響は②千葉県での暴風被害が特に深刻で，倒木，鉄塔の倒壊，建物の損壊などの影響で，停電や断水など非常に大きな被害が出ていたことが，台風通過後数日の間に徐々に明らかになった。

問1 文章中の空欄［ A ］に適切なものを次のア～エより1つ選び，記号で答えなさい。

ア 三宅島　イ 伊豆半島　ウ 三浦半島　エ 房総半島

問2 文章中の空欄［ B ］に適切なものを次のア～エより1つ選び，記号で答えなさい。

ア 神奈川県川崎市　イ 千葉県浦安市　ウ 千葉県千葉市　エ 千葉県富津市

問3 文章中の空欄［ C ］に適切なものを次のア～エより1つ選び，記号で答えなさい。

ア 猛烈な勢力　イ 非常に強い勢力　ウ 強い勢力　エ 弱い勢力

〔解答〕 問１ ウ　問２ ウ　問３ ウ

重要キーワード　2021年入試で出題されるのはココだ！

●天体、宇宙に関すること

小惑星探査機「はやぶさ2」(小惑星リュウグウに着陸。人工的にクレーターをつくり、クレーター周辺の物質を採取、2020年12月に地球に帰還予定)、国際宇宙ステーション(ISS)、無人補給機「こうのとり」、ソユーズ、日本実験棟「きぼう」、スペースX開発「クルードラゴン」、赤外線天文衛星「あかり」、水星磁気圏探査機「みお」、NASAの木星探査機「ジュノー」、部分日食・台湾などで金環日食(6/21)、ネオワイズ彗星、火星が準大接近(2020年10月6日)、関東上空で火球が目撃され習志野で隕石落下を確認など。

ポイント 日食や月食に関する出題に注意しよう。月食や日食の太陽・地球・月の位置関係はたびたび取り上げられているので確認しておこう。宇宙に関しては小惑星探査機「はやぶさ2」が小惑星リュウグウに着陸し、難しいミッションに成功して2020年末に帰還するニュースがねらわれそうだ。「はやぶさ2」のミッションや先代の「はやぶさ」との違いなどを確認しておこう。

●自然、地球環境に関すること

マイクロプラスチック、プラスチックごみ、海洋汚染、レジ袋有料の義務化、生物多様性、生態系、特定外来生物、絶滅危惧種、食物連鎖、地球温暖化、温室効果ガス、パリ協定、酸性雨、オゾン層の破壊、再生可能エネルギー(太陽光、風力発電など)、バイオエタノール、エコカー(燃料電池車、電気自動車、ハイブリッドカー)、ヒアリ、ニホンウナギ、マツタケ、レッドリスト、ラムサール条約、サンゴの白化現象、地質時代「チバニアン」など。

ポイント 近年、レッドリストの絶滅危惧種に指定された生き物について、たびたび取り上げられている。また、特定外来生物による影響について確認しておこう。また、海洋汚染と関連してプラスチックごみが問題になっているので注意しよう。

●自然災害(地震、火山噴火)に関すること

地震、火山活動(桜島・西之島など)、南海トラフ、プレート、緊急地震速報システム、初期微動(P波)と主要動(S波)、震度、マグニチュード、余震、内陸型地震(活断層型地震)、海溝(かいこう)型地震(プレート境界型地震)、噴火警戒レベル、火砕流(かさいりゅう)、新しい地図記号(自然災害伝承碑(でんしょうひ))など。

ポイント 近年入試では火山に関する出題が目立った。火山のしくみや火山災害についてチェックしておこう。地震に関連した出題は引き続き注意が必要だ。

●気象に関すること

猛暑(静岡県浜松市で41.1度)、遅い梅雨明け、九州地方で豪雨、台風、名前のつけられた台風(令和元年房総半島台風・令和元年東日本台風)、大雨特別警報、積乱雲、線状降水帯、バックウォーター現象、ゲリラ豪雨(局地的豪雨)、ハザードマップ、エルニーニョ現象、ラニーニャ現象、ヒートアイランド現象、熱中症、熱中症警戒アラート、フェーン現象、竜巻など。

ポイント 2021年も気象に関する話題が取り上げられる可能性は高い。気象災害や台風についても注意が必要だ。猛暑日、真夏日などの気象に関連した用語は確認しておこう。

●生命、健康、医療に関すること

新型コロナウイルス感染症(COVID-19)、ワクチン、感染症、SARS、MERS、鳥インフルエンザ、豚コレラ、エボラ出血熱、iPS細胞を使った治療が実用化へなど。

ポイント 世界中に拡大している新型コロナウイルスに関する内容はまとめておこう。

●科学技術ほか

人工知能(AI)、113番目の元素「ニホニウム(Nh)」、青色発光ダイオード(青色LED)、ノーベル賞、バイオテクノロジー、ナノテクノロジー、AED(自動体外式除細動器)など。

理科

自然災害に見舞われる日本列島

- ●停滞する梅雨前線による「令和2年7月豪雨」
- ●霧島火山帯、富士火山帯で活動が高まる
- ●内陸型、海溝型地震が多発する日本

決壊した球磨川沿いの堤防（7月4日熊本県人吉市、朝日新聞社機から）。

台風・噴火・地震はなぜ起こるの？

◆豪雨災害の主因となりやすい梅雨前線、秋雨前線

日本列島はだいたい北緯30度～45度の間にあります。この辺りは北の冷たい気団と南の暖かい気団がせめぎ合うところで、夏は**小笠原気団**が勢力を増して日本を覆い、冬は**シベリア気団**がそれを日本の南まで押し戻します。気団がぶつかり合うところには前線ができます。前線では上昇気流が生じて雲が発生するので雨が降りやすくなります。

前線が北上中に日本を通過する時期が梅雨です。前線が南下する途中で日本を通るときが秋雨の季節です。この**梅雨前線**、**秋雨前線**が日本に停滞しているときに、台風などによって南から暖かい水蒸気が大量に流れ込んでくると豪雨災害になります。

2020年７月３日から31日まで、梅雨前線が日本列島上に伸びて停滞し全国的に降雨が続く状態となり、九州、岐阜県周辺、中国地方、東北地方が次々と記録的な豪雨に襲われました。九州、東海、東北では多くの地点で１～３日間の降水量が観測史上1位の値を超えました。とくに被害の激しかった九州では全域にわたる13か所で**線状降水帯**が発生しました。これは積乱雲が次々に発生して列をなす状態が続くことで、前線が停滞していると線状降水帯も動かないため、同じ場所で大雨が長時間続きます。激しい雨で河川の水位が急激に上昇し、小さな支流に水が逆流して**洪水**を引き起こす現象も複数の箇所で起こりました。この**バックウォーター現象**をともなった洪水で、熊本県球磨村の高齢者施設では14名が亡くなりました。国土交通省は大雨の発生の増加傾向が地球温暖化の影響である可能性を指摘し、さらなる激甚化に警戒を強めています。

●2020年７月４日の天気図

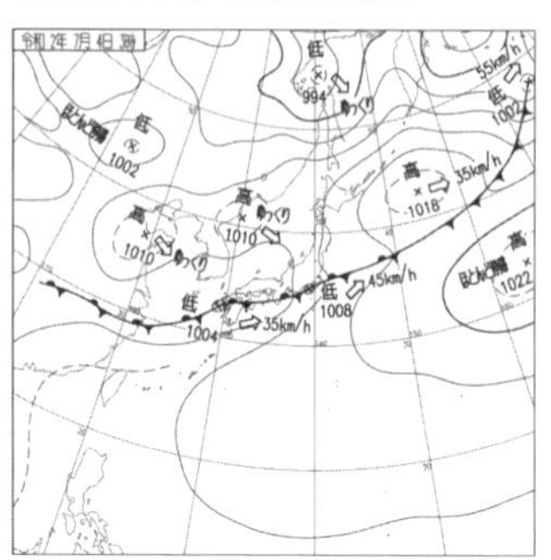

チェック

気象庁は、九州を中心とした広範囲にわたる豪雨を「令和２年７月豪雨」と命名。期間を７月３日から31日までとした。

●台風
北太平洋西部や南シナ海の赤道付近で発生した熱帯低気圧で、中心付近の最大風速がおよそ秒速17.2m以上のものを台風という。

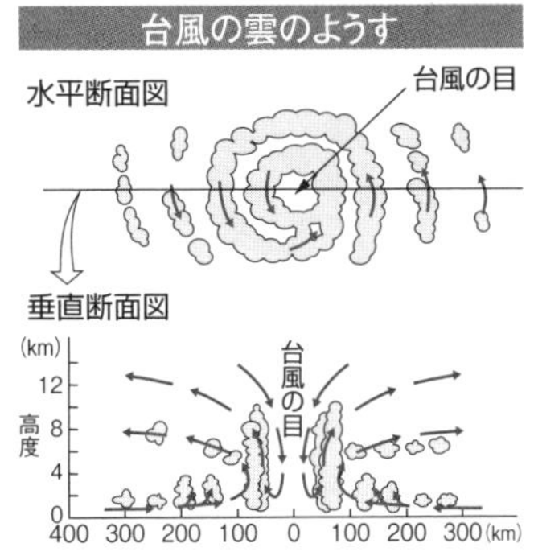

●台風の危険半円のイメージ図

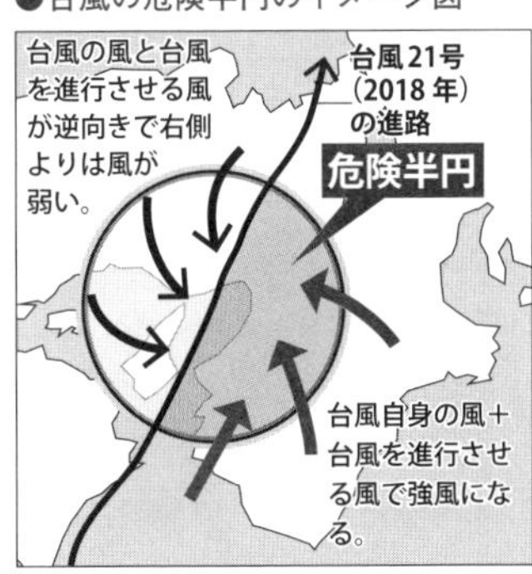

◆最大風速と強風域の半径で分類される台風

●2020年9月6日の天気図

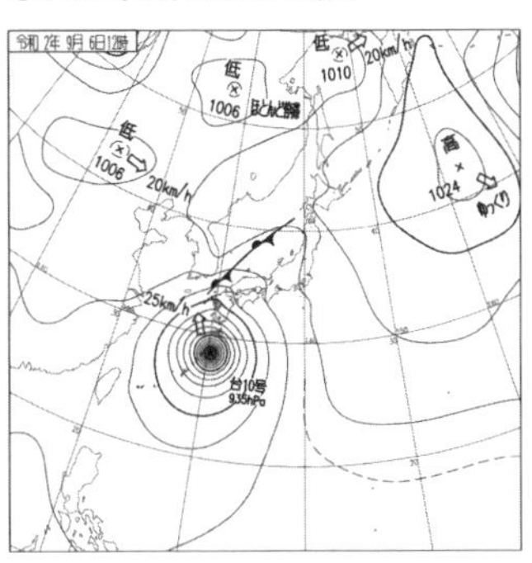

台風は、東経180度以西の太平洋及び南シナ海で発生した熱帯低気圧のうち、最大風速がおよそ秒速17.2m以上のものです。台風の勢力は風速(10分間平均)をもとにした、「強さ」と「大きさ」で区分されます。「強さ」は最大風速による区分で、最大風速が54m/秒以上は「猛烈な」、44m/秒以上54m/秒未満は「非常に強い」、33m/秒以上44m/秒未満は「強い」と区分されます。そして、「大きさ」は強風域(風速15m/秒以上の範囲)が半径800km以上は「非常に大きい(超大型)」、半径500km以上800km未満だと「大きい(大型)」と区分されます。たとえば最大風速が50m/秒で半径900kmなら「非常に強く・非常に大きい台風」です。最大風速が30m/秒で半径400kmなら単に「台風」となります。なお、最大風速は10分間平均なので、最大瞬間風速はそれより強くなります。「猛烈な台風」の場合だと、最大風速の倍近い90m/秒ぐらいの風が吹きつけることもあるといいます。また、台風の進行方向右側は危険半円と呼ばれ、台風の風速に台風の移動速度が加わるためより強い風が吹きます。2018年の台風21号では進行方向の右側の大阪府や和歌山県等広い範囲で電柱倒壊などによる停電が多発しました。2019年の台風15号は、進路の右側となった千葉県では最大瞬間風速57.5mを記録しました。

台風は赤道付近の海上で主に夏に発生します。海面の水温が高くなり、温かい水蒸気がさかんに蒸発して上昇気流を生じ、積乱雲が多数発生してしだいに渦をなし、台風に成長するのです。最初は北東貿易風によって西に向かい、太平洋高気圧沿いに北上し、最後は偏西風に東へ流されていくのが一般的なコースです。このため、沖縄・奄美への接近・通過は7～8月に多く、日本への上陸が多いのは太平洋高気圧の張り出しが弱くなる8～9月です。沖縄に次いで上陸数が多いのは圧倒的に鹿児島県で、それから高知県、和歌山県がこれに続きます。

■ ハザードマップ

自然災害が発生した場合に、生命を守り被害を軽減するための情報を集めた実用的な防災地図。災害時に危険な場所、避難場所や防災関係施設、避難経路などが表示されている。各自治体で地域密着の見やすく工夫したハザードマップを制作している。ハザードマップを事前に見て生活圏の具体的な状況を把握しておくと、起きた災害によって安全な経路で避難したり、家族とスムーズに合流したりすることができる。

作成支援ツールで作ったハザードマップのイメージ図
[国土交通省提供]

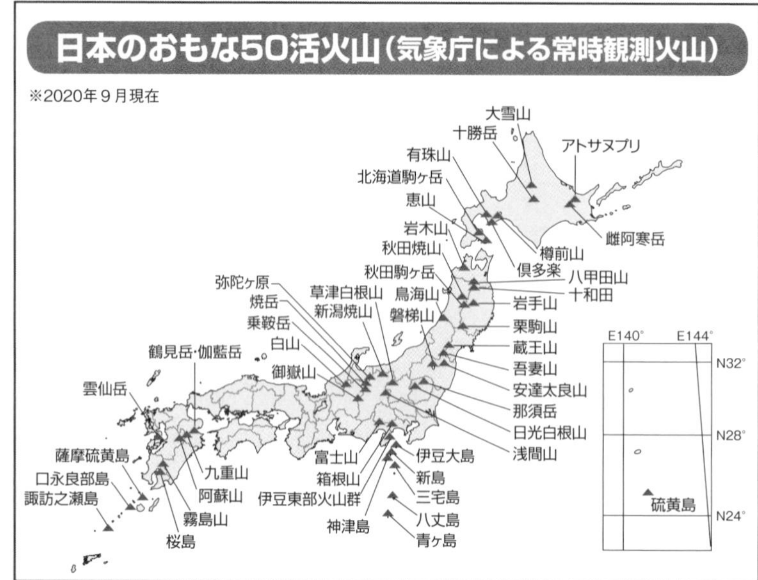

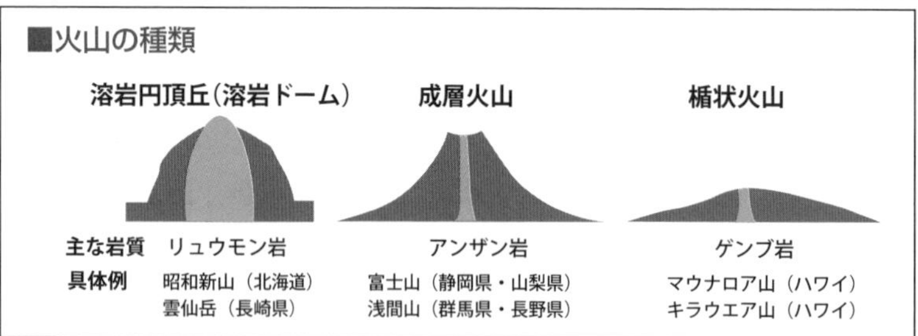

◆活発な活動を見せる霧島火山帯と富士火山帯

日本は世界の活火山の半分以上が集中する**環太平洋造山帯（火山帯）**に属しており、日本は**111の活火山**（2020年９月現在）がそれほど広くない国土に密集しています。**太平洋プレート**の潜り込みによってマグマが供給され続け、火山活動は止むことがありません。

近年九州を北東から南西に走る**霧島火山帯**は活発で、阿蘇山はやや沈静化したものの、桜島、口永良部島、諏訪之瀬島に加えて薩摩硫黄島が2019年11月に噴火し、火口周辺規制の警報が出ました。

フォッサマグナ上に連なる**富士火山帯**では浅間山、草津白根山の火山活動が続き、南端海域では海底火山の噴火によって西之島が出現しました。西之島の噴火と溶岩流出は今も続いています。

富士火山帯に属する富士山は、噴火を繰り返して形を変えてきた山です。記録に現れる781年以降で噴火は17回で、前回の宝永噴火から300年余りが経過しています。2020年４月、政府は富士山が宝永噴火並みの大噴火をした場合、どのような降灰被害が出るかを試算した結果を公表しました。火山灰がどこに飛んでいくかは風向きしだいですが、その影響は健康被害や農作物被害だけでなく、鉄道・道路・電気・通信・水道・下水道などあらゆるインフラに及びます。政府はこのような事態が生じた場合どう対応するか、対策を検討しています。

■警報の出ている活火山

火山名	内容	警戒レベル
口永良部島	入山規制	3
桜島	入山規制	3
西之島	入山危険	
福徳岡ノ場	周辺海域警戒	
浅間山	火口周辺規制	2
霧島山（新燃岳）	火口周辺規制	2
薩摩硫黄島	火口周辺規制	2
草津白根山（湯釜付近）	火口周辺規制	2
諏訪之瀬島	火口周辺規制	2
硫黄島	火口周辺危険	

※気象庁のHPより。2020年９月現在

■近年の大地震

発生年月日	地震名	マグニチュード	最大震度	性格
2018年9月	北海道胆振東部地震	6.7	7	内陸型
2016年4月	熊本地震	7.3	7	内陸型
2011年3月	東北地方太平洋沖地震（東日本大震災）	9.0	7	海溝型
2004年10月	新潟中越地震	6.8	7	内陸型
1995年1月	兵庫県南部地震（阪神・淡路大震災）	7.3	7	内陸型

■地震が起こるメカニズム

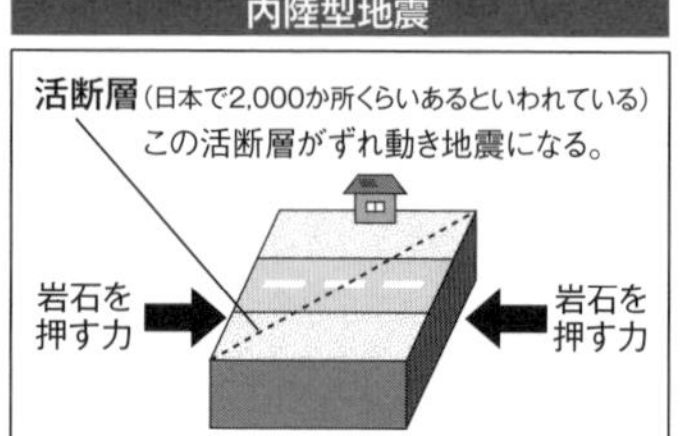

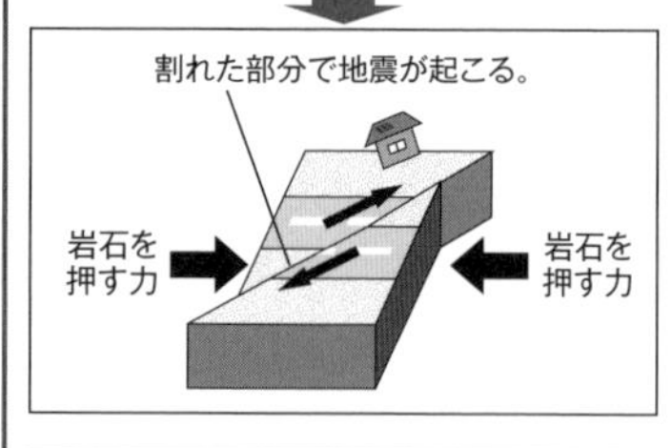

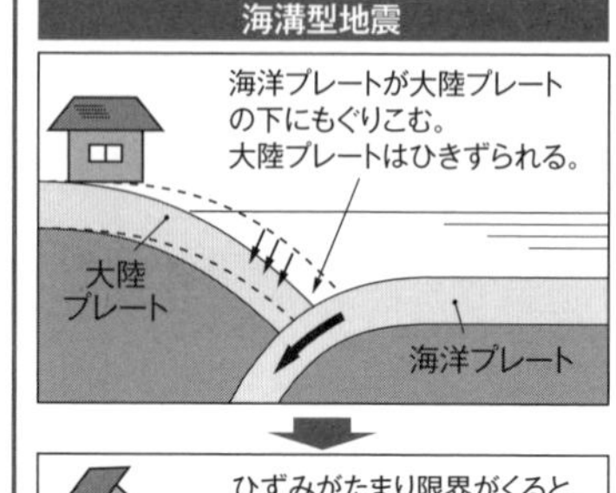

■日本周辺のプレート

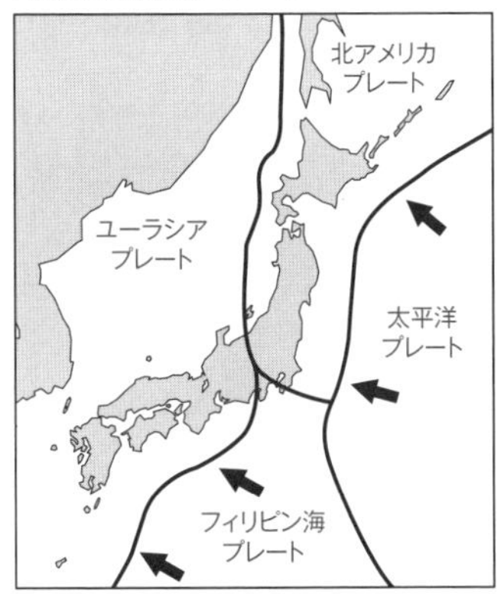

■津波が起こるしくみ

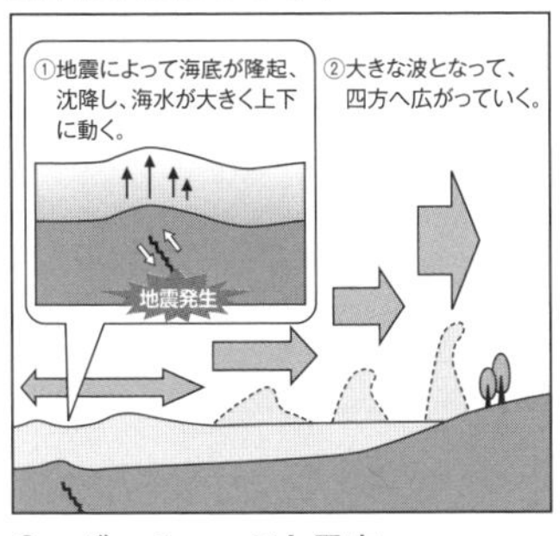

●マグニチュードと震度

マグニチュードは震源で起きた地震そのもののエネルギーの大きさを示す。マグニチュード（記号はM）が1大きくなるごとに地震のエネルギーの大きさは約32倍になる。

震度はある地点での揺れの強さを表す。階級は震度０～７。５と６が強弱２段階に分かれ、全部で10段階となる。なお、マグニチュードが大きい地震でも震源から離れれば震度は小さくなる。

◆内陸型（活断層型）地震と海溝型（プレート型）地震

日本は**地震**の多い国です。**震度**５～６の地震は少なくとも年数回は発生しており、平成以降に限っても震度７の大地震が５回ありました。これらの大地震は発生のしかたによって**内陸型（活断層型）**と**海溝型（プレート型）**の２タイプに分かれます。それぞれのメカニズムを見てみましょう。

兵庫県南部地震（阪神・淡路大震災）・新潟県中越地震・熊本地震・北海道胆振東部地震は内陸型です。内陸には断層と呼ばれる地盤の裂け目や傷などがあり、それがずれ動くと地震が発生します。地震の破壊力は断層のずれが大きいほど、また、震源が浅いほど強くなります。熊本地震では地割れで2.2mのずれが観察されました。この大きな動きが周辺の断層の連鎖的なずれを引き起こし、本震以外に震度７～６弱の大地震６回を誘発しました。

東北地方太平洋沖地震（東日本大震災）は海溝型です。地球上の大陸はいくつかのプレートに分かれています。そのプレートの合わせ目である海溝では、一方のプレートがもう片方の下に潜り込んで消滅する運動が常に起きています。この部分でひずみがたまり、ときに上側のプレートが反動で跳ね上がると地震が起こります。日本付近にはプレートの合わせ目が少なくとも３つあると言われており、そのうち北アメリカプレートの下に太平洋プレートが潜り込んだ日本海溝が、東北地方太平洋沖地震の震源になりました。海底が震源の場合、津波が生じることがあります。東日本大震災では震源から数百kmに及ぶ大規模な崩落によって巨大な津波が発生し、また、震源が陸地に近かったために到達が早く、多くの人が逃げ遅れてしまいました。

近い将来に大地震が起きる可能性があるとされているのが、**南海トラフ**（トラフは海溝より浅い溝）です。また、プレートの動きによるひずみが蓄積されて起こる**首都直下型地震**も警戒されています。住んでいる場所に関わらず、大きな地震が来ることを前提にしっかりと準備をしておく必要があります。

緊急地震速報のしくみ

＜P波とS波＞

地震が起きるとき、震源からP波、S波という二つの波動が同時に発生する。P波は固体・液体・気体のすべてを通り、伝達が速く、エネルギーは小さい。地震の揺れが来る前に地鳴りのような音を聞く人がいるが、それはP波をとらえている。S波は固体のみを伝わり、スピードはP波より遅く、エネルギーは大きい。地震が来るとき、まずP波が到着する。これを初期微動という。それに続いてS波が到着し、本格的な揺れが始まる。それを主要動という。

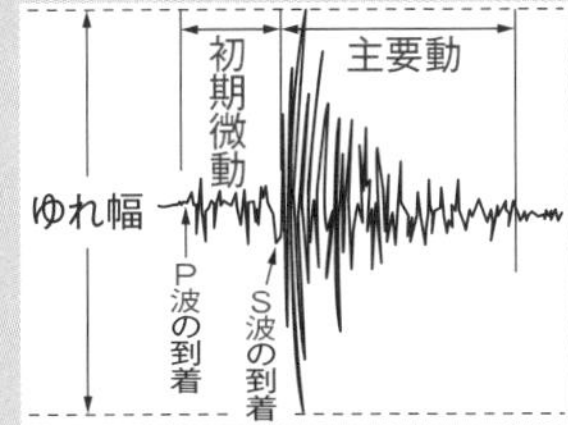

＜緊急地震速報＞

緊急地震速報は、P波とS波の伝達速度の違いを利用して、本格的な揺れの前に地震の発生を連絡する仕組みになっている。

地震が発生する➡震源近くの地震計がまずP波をとらえる。➡そのデータから、震源・規模・想定される揺れの強さを推定する。➡S波が到着する数秒~数十秒前に地震の到来を伝える。（最大震度５弱以上の場合に震度４以上と推定される地域が対象）

注意点

◎速報から地震までは数秒だが、それでも危険な場所から離れることはできる。

◎予測には誤差があるので空振りに終わることもあるが、毎回地震発生を前提に行動する。

◎実際に東日本大震災では、緊急地震速報で列車が予め減速し始めたために大きな事故を防ぐことができた。

◎震源のすぐそばにいる場合は緊急地震速報は間に合わない。

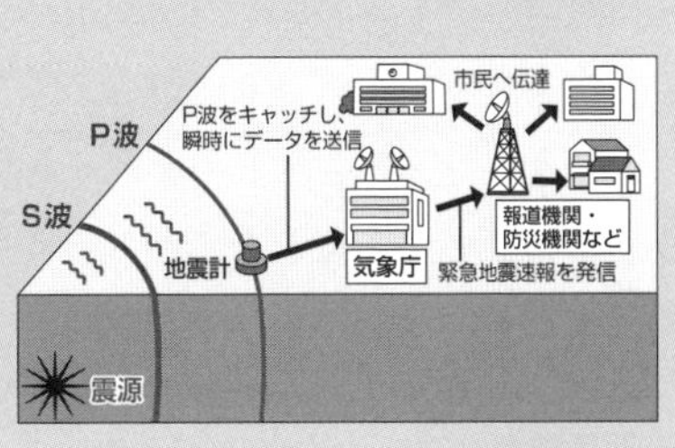

梅雨の長雨と酷暑に見舞われた日本

- ●偏西風の蛇行で長びいた梅雨
- ●史上初めて台風が発生しなかった7月
- ●国連気候変動サミットで経済界に厳しい注文

猛暑の中、日傘を差して歩く人たち（8月11日東京・銀座）。

記録的な大雨や酷暑の原因は何？

◆7月前半、梅雨前線が日本列島上に停滞。8月は酷暑に

2020年の夏は７月と８月で劇的に気候が変化しました。春から初夏にかけてやや低めだった気温は、６月には例年並みに上がってきましたが、７月に入ると冷夏となりました。

原因は７月の前半、日本中で雲が空を覆い、雨が降り続けたことです。７月の日照時間は広い地域で例年の４割程度しかなく、雨量の多さは記録的な水準に達しました。鹿児島県鹿屋、熊本県天草市牛深などでは７月の平均雨量の３倍を超え、１日の雨量が観測史上一位となった地点が35を数えました。九州などでは**豪雨**災害が発生しました。

この長雨の原因は、蛇行した**偏西風**が日本の北側に膨れた一方、例年より**太平洋高気圧**の張り出しが弱いために、間に挟まれた**梅雨前線**が日本列島上に停滞したことです。今年はインドネシア付近の西太平洋の海水温が高く、温かい湿った大気が高気圧の縁辺を回りこんで日本に流れ込み、大雨をもたらしました。

この気圧配置は７月中旬に崩れ、ようやく太平洋高気圧が大陸を覆うと、気温が急上昇しました。今年の太平洋高気圧は非常に強く、７月後半から８月を通じて日本に覆いかぶさり、なかなか終わらない酷暑の夏になりました。暑さがピークだった2020年８月17日に、**静岡県浜松市の気温は観測史上１位となる41.1度**に達しました。これは2018年の**埼玉県熊谷市と並ぶ記録**です。また、2020年９月には**新潟県三条市**で**40.4度**を記録し、国内では初めて９月に40度を超えました。

●高気圧と低気圧
下降気流が強い場所が高気圧、上昇気流が強い場所が低気圧になる。高気圧は好天をもたらし、低気圧は雲が発生して天気が悪くなりやすい。

●偏西風
北半球の中緯度地域上空で１年中吹いている西風。温度の高い赤道付近から温度の低い極地方に吹く風が、地球の自転により見かけ上西向きの風となる。偏西風の蛇行は気象が乱れる原因となる。

■７月７日の天気図

■８月17日の天気図

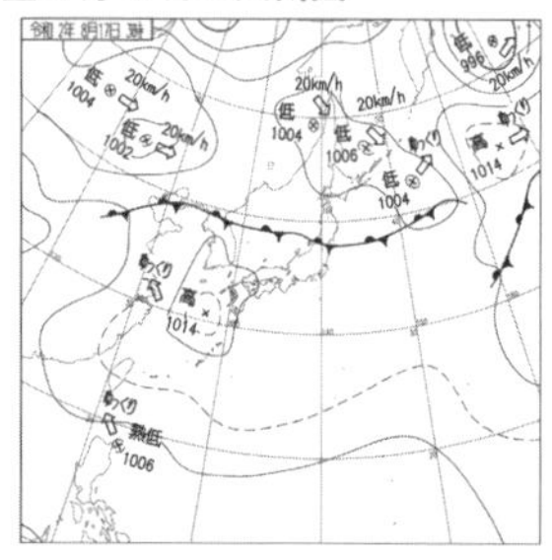

これだけはおさえたい！　気象関連用語

猛暑日	▶１日の最高気温が35℃以上の日	熱帯夜	▶夜間の最低気温が25℃以上の日
真夏日	▶１日の最高気温が30℃以上の日	真冬日	▶１日の最高気温が０℃未満の日
夏 日	▶１日の最高気温が25℃以上の日	冬 日	▶１日の最低気温が０℃未満の日

●℃
35
30
25
猛暑日 35℃以上
真夏日 30℃以上
25℃以上 夏日
25℃以上 熱帯夜 〔夜間の最低気温〕

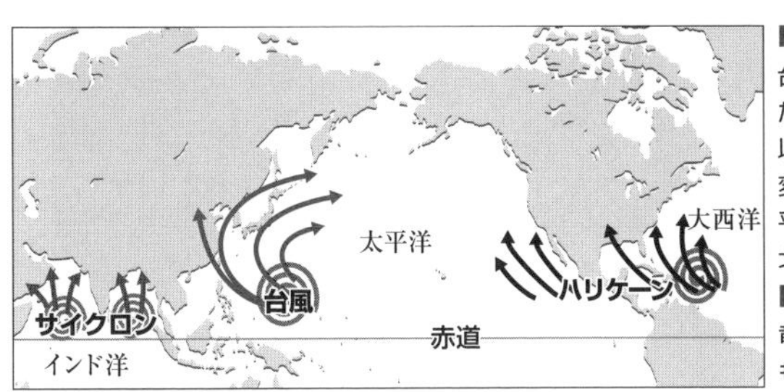

■台風やハリケーンなどの違いは？
台風は赤道付近で発生した熱帯低気圧が発達したもので、中心付近の最大風速が秒速17.2m以上のもの。発生する地域によって呼び名が変わる。北インド洋なら「サイクロン」、北太平洋西部、南シナ海なら「台風」、北大西洋、北太平洋東部なら「ハリケーン」と呼ぶ。

■藤田スケール
竜巻の規模を表す国際基準。Ｆ０～Ｆ５の６段階で表す。竜巻は積乱雲などにともない発生する強い上昇気流をもった激しいうずまきのこと。

●エルニーニョ＆ラニーニャ現象
ペルー沖の海水温が平年より高い状態をエルニーニョ現象、平年より低い状態をラニーニャ現象と呼ぶ。

エルニーニョ現象の状態

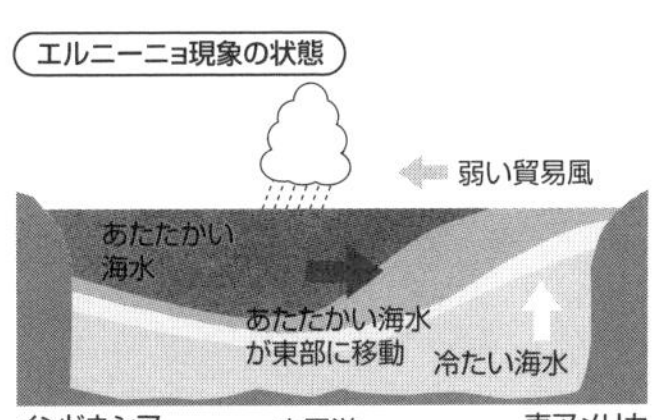

ラニーニャ現象の状態

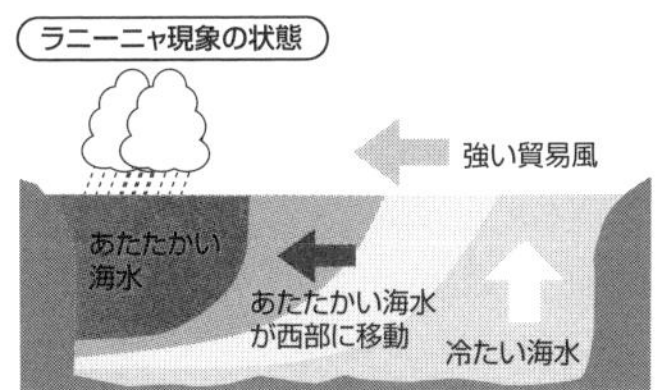

●ヒートアイランド現象
都市の気温が周囲よりも高くなること。気温の分布図では高温の都市部が島のように見えることからこう呼ばれる。

チェック

ヒートアイランド現象の原因

1 緑地や水面の減少で熱がこもりやすくなっている
2 アスファルトやコンクリートに覆われた地面の増大
3 自動車や建物から出される熱（排熱）の増大
4 ビルが密集しているため風通しが悪くなっている

◆台風が発生しなかった7月

2020年の台風発生数は、５月が１、６月が１、７月は０でした。全体として少なく、７月に台風が発生しなかったのは観測史上初めてのことです。沖縄・奄美地方では８月に入って台風の300km以内の接近が４件続きました。

この理由と考えられているのが、インド洋の海水温が高くなり上昇気流が盛んに発生する反動で、フィリピン付近では下降気流が強く高気圧になり積乱雲の発生が抑えられることです。この場合この海域では台風が発生しにくくなります。このように気象においては離れた地域同士の現象が連動することがあります。

今年のようにシーズン前半の台風が少ない年は年間発生数は減りますが、８月以降は概ね例年通りの数の台風が日本に上陸しています。10月以降も警戒を怠ることはできません。

ニュース 関連Newsファイル

●世界が注目！　国連気候行動サミット2019

2019年９月23日にアメリカ・ニューヨークで開催された国連気候アクション・サミットは過去に例を見ない画期的な内容だった。政治家だけでなく、世界の主要機関投資家、金融機関、国際的企業が参加し、政治に強力な行動を起こすことを求めたのだ。

機関投資家は各国の自主的二酸化炭素削減目標の上乗せ、すべての政策をパリ協定の内容に合うものとすること、石炭火力発電の全廃などを要求した。また、金融機関、企業も各業界の力を二酸化炭素削減に傾けることを自ら決めた。

そしてスウェーデンの高校生グレタ・トゥンベリさんも演説をし、注目を集めた。

COP25の関連イベントでスピーチするスウェーデンの環境活動家グレタ・トゥンベリさん（スペイン・マドリード AFP＝時事）

環境

理科

生物多様性と人間の活動

●山火事で森林の2割を失ったオーストラリア
●美しいモーリシャスの海に重油流出
●サバクトビバッタの大群が食糧難を引き起こす

サバクトビバッタの大群（ケニヤ・EPA＝時事）。

人はどうすればさまざまな生物と共存できるの？

◆乾燥・高温・強風が招いたオーストラリアの深刻な山火事

2019年９月頃からオーストラリア東部を中心に広がった**山火事**は、日本の国土のおよそ1/4の広さにあたる地域を焼き尽くし、これによって多くの野生動植物が死滅、さらにその生息地の多くを失いました。その中には、コアラやカンガルーなど同国を象徴する固有種や希少種も多数含まれています。

オーストラリアの山火事は自然現象の一部で、毎年一定の割合の消失が起きています。しかし今回の山火事は多発したうえ燃え広がるのが速く、大きな被害が発生しました。火事を消し止めたのは、2020年２月初めの歴史的な大雨でした。火事の原因は、降雨量が少なく乾燥していたこと、気温が上がったこと、強風がふいていたことの３つが重なったことだと考えられています。焼失面積は昨年までのおよそ20倍に跳ね上がり、環境の変化が進行すると、深刻な事態に陥る場合があることが明らかになった災害でした。

◆貨物船座礁事故でモーリシャスの海岸に重油流出

2020年７月25日、インド洋の美しい島国モーリシャス沖で日本の海運会社の貨物船が座礁し、およそ1000トンの燃料用の重油が流出しました。重油は付近の海域とモーリシャスの沿岸を汚染し、深刻な被害を与えています。同国は湿地を守る**ラムサール条約**に３か所を登録しており、そこにはマングローブ植物の林が繁り、希少種を含む鳥類などが多数生息しています。マングローブ林にも重油が付着し枯死が心配されていますが、除去はとても難しい状況です。こうした**生態系**へのダメージもさることながら、同国の産業の柱

■オーストラリアの森林火災

コアラとワラビーは生息地が重なっている。ともに生息地のかなりの部分を失い厳しい状況に置かれている。タスマニア島の固有動物タスマニアデビルも危機的な状況にある。カンガルーは大陸中央部に広く生息しているが、それでも今回の大規模な火事が原因で多くの個体が死亡した。

■モーリシャス

インド洋の島国モーリシャス沖で、座礁し二つに割れたままの日本の貨物船（AFP＝時事）

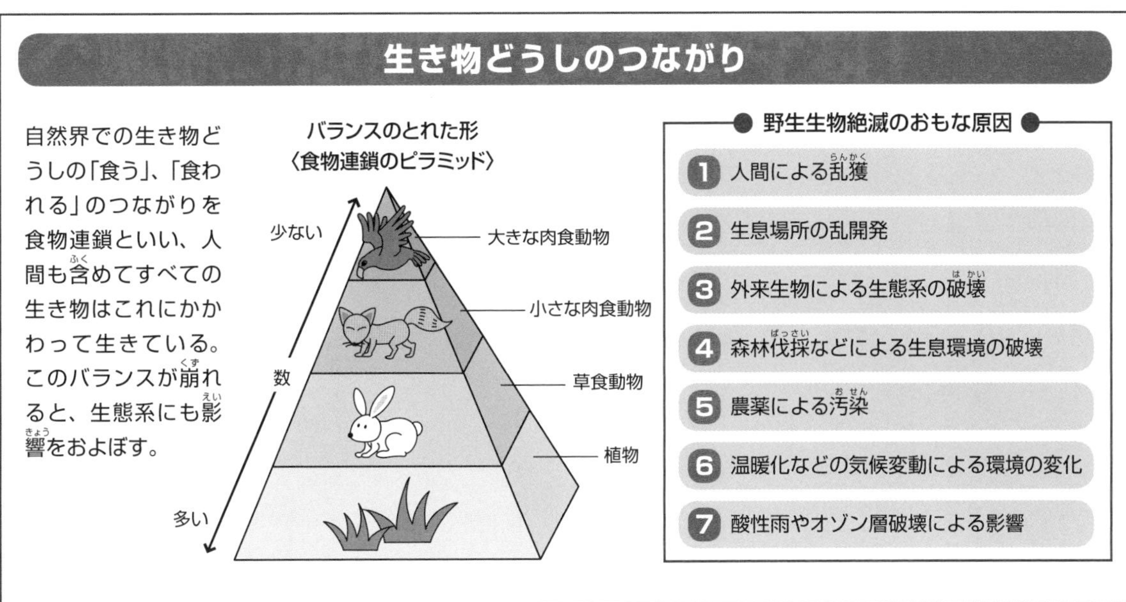

である観光業、住民の生活を支えている漁業にも長く影響が残る可能性があります。日本は専門家を派遣して現地の人々と協力して重油の回収にあたっていますが、困難な作業が続くことが予想されています。

◆アフリカから中東、インドへ。サバクトビバッタの農作物被害が甚大

サバクトビバッタは繁殖のサイクルが短く、繁殖に適した条件があると短時間で大きな群れになることがあります。すると、群生相と呼ばれる黒く翅が長い姿が出現し、一日で150kmともいわれる機動力を獲得して、大群で移動しながらあらゆる植物を食い尽くし、すさまじい脅威になるのです。2018～2019年にアフリカ東部とアラビア半島で大発生したサバクトビバッタは東へ広がり、インド西部・パキスタンを経て、今年はインドの北部や東部へと到達しています。襲われた地域の農作物の被害は深刻で、アフリカ東部やイエメンでは食糧不足が心配されています。この古代から繰り返されている脅威には、卵や幼虫の段階で地道に駆除する以外、有効な対策はありません。

◆生物多様性を守る３つの重要な国際条約

地球上の多様な自然は、私たちが住む魅力ある世界を構成するかけがえのない宝です。そして、自然の複雑なシステムや多彩な展開の中には、いまだ私たちが発見していない膨大な価値が潜んでいます。今は不要に見えたり、害毒しか目につかないものでも、将来、人類にとって重要な資源になる可能性があるのです。

しかし、世界の人口が増え、人類の活動が拡大するにつれて、乱獲や生育環境の破壊が進んで生態系にダメージを与え、**絶滅種**や**絶滅危惧種**が激増しています。こうした深刻な状況に対処するために、３つの国際的な条約――**生物多様性条約・ラムサール条約・ワシントン条約**――が採択されてきました。これらの条約を軸に、生物の多様性を包括的に保全し、生物資源の持続可能な利用を行うための努力が続けられています。

●生態系
互いに関わり合っている、共に生きる生物の関係と、それを取りまく環境のこと。

●生物多様性条約
人類の生存を支え、人類にさまざまな恵みをもたらす生物多様性を守る取り組みを世界中で協力して行うための条約。1992年に採択され、194か国とEUが参加している（米国は不参加）。

●ラムサール条約
水鳥の生息地として国際的に重要な湿地を保全することを目的とする条約。渡り鳥の場合は国をまたがる両方の生息地の環境を守ることが種の保存の前提となる。日本の登録湿地は、2018年に志津川湾と葛西海浜公園が新たに加わって、全国52か所となった。

●ワシントン条約
正式名は「絶滅のおそれのある野生動植物の種の国際取引に関する条約」で、1973年にワシントンで採択された条約。野生動植物の国際取引を規制し、絶滅の危機から守ることを目的としている。象牙、毛皮、はく製、漢方薬なども規制の対象。

天文・宇宙

理科

「はやぶさ2」が地球に帰還へ

●地球外生命を求めて火星探査ラッシュ
●夏至と重なった部分日食
●日本のISS補給機こうのとりの運用終わる

福岡市内で観測された部分日食。右は電波塔の「福岡タワー（福岡市早良区）」（6月21日）。

惑星探査では何が期待できるの？

◆「はやぶさ2」は12月帰還予定。次のミッションへ

小惑星探査機「**はやぶさ2**」は2018年6月から2019年11月まで**リュウグウ**に留まり、予定されたミッションを完了して、現在は地球への帰途についています。探査機からは小型着陸機「マスコット」（独仏製作）を2度にわたって着陸させ、小惑星の表面に弾丸を発射して人工的にクレーターを作り、調査やサンプル採取を行い、2台の移動機ミネルバを放出し、リュウグウの表面を走らせました。ミネルバは動きながら測定や撮影を行い貴重なデータを送りました。はやぶさ2の帰還は2020年12月の予定で、それから持ち帰ったサンプルの研究が始まります。さらに、はやぶさ2は地球にカプセルを投下した後、次の探査に向かうことが決まりました。宇宙航空研究開発機構（JAXA）は、はやぶさ2が次にめざす探査先として小惑星「1998KY26」を選んだと発表しました。到着は2031年の予定です。

◆こうのとり、最後の任務を終える

HTV（こうのとり）は宇宙のコンテナです。国際宇宙ステーション（ISS）に宇宙飛行士の食料や生活物資、実験装置等の必要物を届ける補給機として、2009年の初号機から今年の9号機まで、一度の失敗もなく運用されてきました。**H-ⅡBロケット**に搭載して打ち上げ、ISSに到着するとISS側がロボットアームでこうのとりを捕まえてドッキングし、物資を運び出します。9号機は2020年8月19日にISSから分離しその後大気圏に再突入しました。これでこうのとりの運用は終了し、その役割は開発中の新型補給機HTV-Xに引き継がれます。

●小惑星
太陽を周回する小天体のこと。惑星よりもはるかに小さいので引力も弱く、多くはいびつな形をしている。発見されている40万個以上の小惑星のうちほとんどの軌道は火星と木星の間にある。

●国際宇宙ステーション（ISS）
地上約400kmの楕円軌道を周回する有人実験施設。サッカー場ぐらいの大きさがある。日本・アメリカ・ロシア・欧州諸国など15か国の共同プロジェクト。宇宙空間でさまざまな実験を行っている。日本の実験棟「きぼう」も接続されている。2017年12月から長期滞在していた金井宣茂宇宙飛行士が2018年6月に地球に帰還した。

●太陽系の惑星
太陽系には8つの惑星と5つの準惑星がある。海王星の外側にある冥王星は、以前は惑星の一つに数えられていたが、2006年に準惑星とされた。地球より太陽に近い水星と金星を内惑星と呼ぶ。地球より太陽から遠い火星・木星・土星・天王星・海王星を外惑星という。

●日食が起こる太陽・月・地球の位置関係

皆既日食：地球と月の距離が近く、太陽の見かけの直径を上回る月が太陽を完全に覆い尽くす。

金環日食：地球と月の距離が離れているために、月の見かけの直径が太陽より小さく、太陽が輪のように見える。

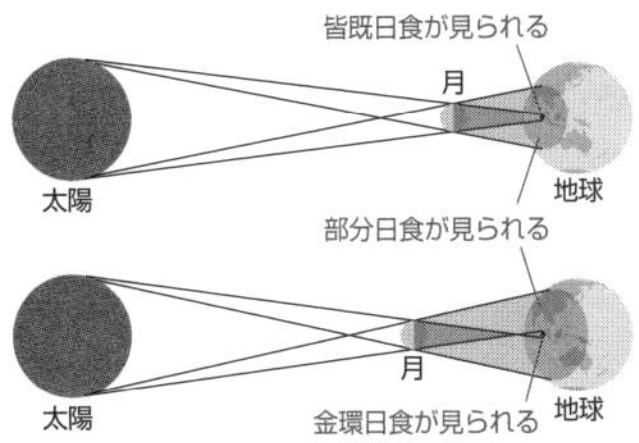

▲2019年にチリで見られた皆既日食

●日食と月食のときの欠け方（北半球）

月は地球の北極側から見て反時計回りに公転しているので、日食のとき、太陽は右（西）から欠けていく。

一方、月食のときは、月は地球の影のなかに右の方から入りこむので、満月の左（東）から欠けていく。

●月食

太陽・地球・月の順に一直線上に並び、月の光っているところが欠けて見える現象を月食という。月が地球の本影に全部入ってしまうとき（B）を皆既月食、月の一部が入るとき（A）を部分月食という。半影に入っただけでは月食は起こらない。また、月食は満月のときに起こるが、満月のときにいつも起こるわけではない。

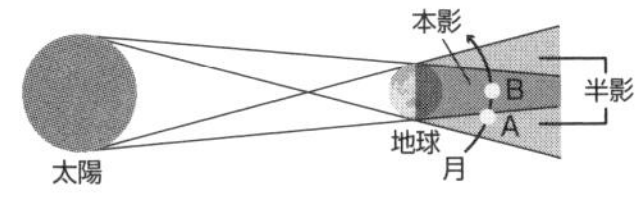

■月食のときの月の欠け方

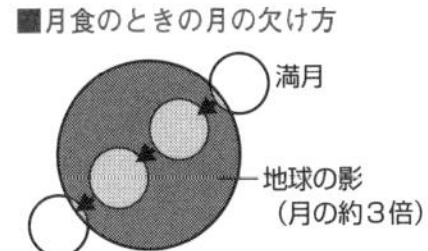

■「はやぶさ2」の衝突装置の運用の流れ

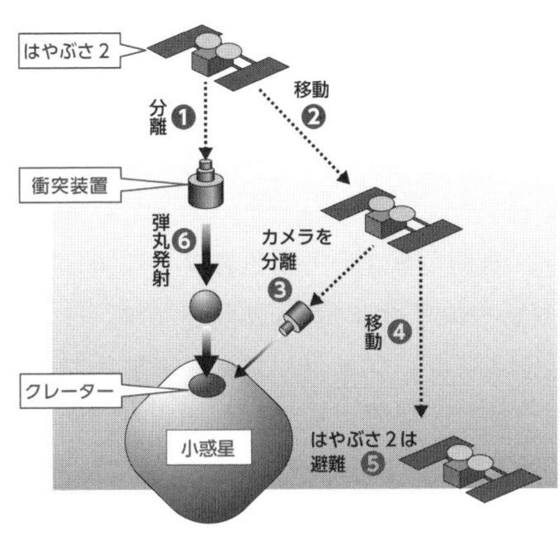

■「はやぶさ2」のミッションの経過

2014年12月	「はやぶさ2」が打ち上げられる。
2018年6月	「リュウグウ」に到着。
2019年2月	小惑星「リュウグウ」への着陸に成功。舞い散った砂利の粉末を回収。
2019年4月	「リュウグウ」の地表に衝突装置を発射し、人工的なクレーターをつくる任務をおこなう。
2019年7月	「リュウグウ」への２回目の着陸に成功。地下にあった物質を採取。
2020年12月	地球に帰還する予定。
2020年12月	次のミッションとして小惑星「1998KY26」へ向かう予定。

◆火星探査ラッシュ。各国から３機が飛び立つ

火星は岩石でできた**地球型惑星**です。寒冷ですが内惑星の水星や金星の極度の高温に比べると地球に近い環境です。距離は金星の次に近く、１年足らずで到達できます。着陸もできるので、太陽系の惑星の中で最も探査がしやすいと言えます。こうしたことから、人類は早くから火星を目標としてきました。1976年には**NASA**の**探査機ヴァイキング**が着陸機を無事着地させました。また、1997年には探査機マーズ・パスファインダーが着陸機から探査車を出して地表の調査を行っています。

今、火星への関心が再び強まっています。その主な理由として、近年の調査と分析によって火星に液体の水がある証拠が発見され、地球外生命の存在の可能性が高くなったことが挙げられます。2020年は地球と火星の配置から探査機打ち上げに都合のよい年で、７月に３機が火星に向けて出発しました。アメリカのNASAのMars2020パーサヴィアランスは大型の探査車で土を掘ってサンプルを集めることができ、成功した場合は将来の探査計画でそれを地球に持って帰ることになっています。中国の天問１号も探査車の活動を行うようです。UAE（アラブ首長国連邦）のHopeは周回機で、火星大気の観測を目的としています。Hopeははやぶさ２と同じく日本のH-IIAロケットで種子島宇宙センターから打ち上げられました。

◆夏至の日の部分日食

６月21日、夏至の日の夕方、日本全国で日食が見られました。最大でおよそ３分の１が欠ける**部分日食**です。この日、アフリカからアジアにかけての地域では、月が太陽の中央部を通過し太陽が明るい輪に見える時間帯がある**金環日食**となりました。金環日食となるのは月が地球から離れた位置にあり、見かけの大きさが小さい場合で、月がより地球に近づいているときであれば太陽を完全に覆い隠す**皆既日食**となります。

次の日本の広い地域で観察できる日食は2030年に起こります。このとき、北海道の大部分では金環日食を観測する見込みです。また、2035年の日食は、北陸などで皆既日食になります。

日本人ノーベル賞受賞

リチウムイオン電池の開発で吉野彰氏が化学賞を受賞

2019年の**ノーベル化学賞**を、**吉野彰**(よしのあきら)**氏（旭化成名誉フェロー）**が、アメリカの科学者２人とともに受賞しました。授賞理由は「**リチウムイオン電池の開発**」です。小型・軽量で高性能なリチウムイオン電池の開発によって携帯電話やノートパソコン、スマートフォンやEV（電気自動車）などの電子機器が急速に普及し、IT（情報技術）社会の発展に貢献した功績が評価されました。

2018年は**ノーベル生理学・医学賞**を、**本庶佑**(ほんじょたすく)**氏（京都大特別教授）**が受賞しました。

◆ノーベル賞とは？

ノーベル賞は、ダイナマイトを発明したスウェーデンの実業家、**アルフレッド・ノーベルの平和を願う遺志**(いし)によって創設された賞です。**物理学、化学、生理学・医学、文学、経済学、平和**の６つの賞があります。授賞式は例年ノーベルの命日である12月10日に行われます。

平和賞以外の５賞は、例年スウェーデンのストックホルムのコンサートホールで行われます。平和賞だけはノルウェー・ノーベル委員会が選考し、授賞式は例年ノルウェーのオスロ市庁舎で行われます。今年は新型コロナウイルスの感染拡大を受け、受賞者は現地の式典に出席せず、それぞれの国でメダルなどを受け取ると発表されています。

（2020年10月10日時点）

■日本出身の歴代ノーベル賞受賞者

年	物理学	化学	生理学・医学	文学	平和
1949	湯川秀樹				
1965	朝永振一郎				
1968				川端康成	
1973	江崎玲於奈				
1974					佐藤栄作
1981		福井謙一			
1987			利根川進		
1994				大江健三郎	
2000		白川英樹			
2001		野依良治			
2002	小柴昌俊	田中耕一			
2008	南部陽一郎 小林誠 益川敏英	下村脩			
2010		根岸英一 鈴木章			
2012			山中伸弥		
2014	赤﨑勇 天野浩 中村修二				
2015	梶田隆章		大村智		
2016			大隅良典		
2017				カズオ・イシグロ（日系イギリス人）	
2018			本庶佑		
2019		吉野彰			

※南部氏・中村氏は米国国籍。カズオ・イシグロ氏は英国国籍。
※経済学賞は受賞なし。

■近年のおもなノーベル平和賞受賞者（肩書きは受賞当時のもの）

年	受賞者	授賞理由
1974	佐藤栄作（日本元首相）	非核三原則の提唱やアジアの平和に貢献
1989	ダライ・ラマ14世（チベット仏教最高指導者）	世界平和に貢献
1990	ミハイル・ゴルバチョフ（ソ連大統領）	冷戦終結や共産圏の民主化などに貢献
1991	アウンサンスーチー（ミャンマー民主化運動の指導者）	ミャンマーの民主化に努力
1994	イツハク・ラビン（イスラエル首相）、シモン・ペレス（イスラエル外相）、ヤセル・アラファト（パレスチナ解放機構議長）	中東の平和に貢献
1997	地雷禁止国際キャンペーン、ジョディ・ウィリアムズ（同報道官）	対人地雷の禁止条約制定に貢献
2000	金大中（韓国大統領）	南北朝鮮の和解に努力
2002	ジミー・カーター（アメリカ元大統領）	国際紛争の平和的解決への努力
2004	ワンガリ・マータイ（ケニアの環境活動家）	持続可能な開発と民主主義と平和に貢献
2005	国際原子力機関、ムハンマド・エルバラダイ（同事務局長）	核不拡散体制の強化
2007	気候変動に関する政府間パネル（IPCC）、アル・ゴア（アメリカ前副大統領）	気候変動についての知識を普及
2009	バラク・オバマ（アメリカ大統領）	核軍縮への取り組み
2012	欧州連合（EU）	欧州連合を通じた国家の和解と平和への取り組み
2013	化学兵器禁止機関（OPCW）	化学兵器廃絶に向けた取り組み
2014	マララ・ユスフザイ（パキスタン）	女子教育の権利を訴える活動への取り組み
2017	国際NGO「核兵器廃絶国際キャンペーン（ICAN）」	核兵器禁止条約の制定に貢献
2018	デニ・ムクウェゲ（コンゴ）、ナディア・ムラド（イラク）	戦時性暴力根絶に貢献
2019	アビー・アハメド（エチオピア首相）	エリトリアや近隣のアフリカ諸国の紛争解決に貢献
2020	世界食糧計画（WFP）	貧困・紛争地域の飢餓撲滅に貢献

2020 理 科 ニューストピックス

理科に関する話題のニュースはほかにもいろいろとあります。「天文・宇宙」「環境」「科学」などの分野を中心に、2020年の理科ニューストピックスを集めました。

「チバニアン」が正式に命名される

国際的な科学者組織「国際地質科学連合」は、2020年１月17日、地質学上の時代（地質時代）のうち、約77万4000～約12万9000年前の時代を「チバニアン」（ラテン語で「千葉の時代」の意味）と命名することを決めた。46億年の地球の歴史を表す地質時代の名前の一つに、日本の地名が由来となるのは初めてだ。

地磁気（N極・S極）が反転したことを証明する地層（千葉セクション）が千葉県市原市にあり、日本の研究チームは2017年６月、この千葉セクションを国際地質科学連合に基準地として申請（しんせい）、チバニアンと命名するよう求めていた。

地質時代とは、「中生代」などの大まかな区分の下に「ジュラ紀」「白亜紀」といった区分があり、その下に100を超える地質時代がある。チバニアンは「新生代」第四紀の更新世の中期にあたり、マンモスや人類ホモ・サピエンスが現れた時代だ。

国内で14年ぶりに狂犬病が発症

2020年５月22日、愛知県豊橋市は、フィリピンから来日した男性が狂犬（きょうけん）病を発症したと発表した。男性は2019年９月にフィリピンで犬に咬（か）まれたことがあり、その際に感染したとみられている。狂犬病の発症が国内で確認されたのは2006年以来、14年ぶりだ。

狂犬病は、イヌばかりでなく、ネコ、コウモリ、キツネ、アライグマ、コヨーテなどからも感染する病気で、日本でも狂犬病予防法が制定される1950年以前までは、多くのイヌが狂犬病と診断され、人間も感染して死亡する事例があった。同法の制定以降は、犬の登録、予防注射、野犬等の対策が徹底されるようになり、7年という短期間のうちに狂犬病は撲滅（ぼくめつ）された。

しかし、世界をみると、日本、英国、スカンジナビア半島の一部の国々、オーストラリア、ニュージーランドなどを除いて、全世界に狂犬病は分布している。WHOによれば、2017年で、年間の死亡者数（推計）は、59,000人（うち、アジア地域35,000人、アフリカ地域21,000人）だ。日本では、イヌへの狂犬病ワクチンの接種は義務づけられている。また人間の場合は、狂犬病が心配される地域に行ったり、媒介する動物と触れたりすることが予想される場合には、渡航する前に予防接種することができる。

国内最大級の草食恐竜か、肋骨化石が天草で発見

2020年2月、熊本県天草市立御所浦（ごしょうら）白亜紀資料館と福井県立恐竜博物館は、天草市・御所浦島の白亜紀前期（約１億年前）の地層から発見されていた恐竜の骨の化石の１つが大型草食恐竜の肋骨（ろっこつ）化石と判明したことを発表した。長い首と尾が特徴で、四足歩行をしていたと考えられ、全長は約15メートルと推定される。九州で発見された恐竜では最大、国内でも最大級という。

地続きでない沖縄で豚コレラが発生～1986年以来～

2020年1月、沖縄県うるま市の養豚場で飼育されているブタが、ブタの伝染病、CSF（いわゆる豚コレラ）に感染していることが確認された。沖縄県内で豚コレラに感染したブタが確認されたのは1986年以来だ。豚コレラはブタやイノシシの病気で、人に感染することはない。豚コレラは国内では2018年9月に岐阜県で感染が確認されたあと、18の都府県でブタや野生のイノシシに感染が広がっていたが、ブタの殺処分や移動の禁止や野生のイノシシにワクチンを混ぜたエサを食べさせるなどの対策をとり、感染拡大を防いでいた。中部や関東、関西地方以外で感染が確認されたのは初めてだ。

ネオワイズ彗星が見頃に

2020年3月に発見された新彗星、ネオワイズ彗星（C/2020 F3 ）が7月に見頃を迎えた。当初の予想よりも明るく、7月8日には、明るさは1～2等級で観測された。日本では天候に恵まれず一部の地域でしか観察できなかったが、一定の設定で写真撮影をすれば、7月上旬から中旬にかけて、尾を引いた立派な姿をとらえることができた。ネオワイズ彗星は、3月28日に赤外線探査衛星「ネオワイズ」により発見された。7月4日に太陽に最も接近し、彗星活動のピークを迎えた。次に太陽に近づくのは5000年以上先とみられている。

習志野に続き船橋でも隕石発見

2020年7月2日未明、関東の上空を西から東へ流れる「火球」と呼ばれる強く光る大きな流れ星が目撃され、その破片とみられる隕石が千葉県習志野市で見つかり、「習志野隕石」として話題になった。さらに、約1キロ離れた千葉県船橋市のアパートの屋根にも破片が落ちていたことを、国立科学博物館が3日、発表した。国立科学博物館によれば「日本に落ちた隕石は最近20年で愛知県小牧市と広島市だけで、習志野市と船橋市での発見は極めて珍しい。特に今回は火球の軌道と隕石が同時に確認できたので、宇宙空間をどのように飛んできたのか推測もできるだろう」と話している。

2019年－2020年の冬は、記録的な暖冬に

2020年4月14日、気象庁は、冬（2019年12月～2020年2月）の日本の平均気温は、1898年の統計開始以降で最も高く、平均値を1.66度上回る記録的な暖冬になったと発表した。気象庁によると、冬型の気圧配置となる日が少なく、日本付近への寒気の流入が弱かったことなどが原因という。

小惑星が地球スレスレに通過～観測史上最接近～

2020年8月18日、米航空宇宙局（NASA）は、直径が5m前後の中型の自動車ほどの小惑星が地球すれすれをかすめていたと発表した。8月16日に近づいており、最も近づいた時の距離は地上から2,950kmの上空（地球の直径の約4分の1）だった。気象衛星のひまわり8号が周回する高度約36,000kmよりもはるかに低い高度だ。地球にぶつからなかった小惑星としては観測史上最も近づいたとみられている。しかし、たとえ地球と衝突していたとしても、大気圏内で分解され、空中で火球か隕石になるため、被害が出る可能性は低かったようだ。小惑星は年に数回は地球のそばに接近し、通過しているといわれている。

43年ぶり、台風に名前が付けられる

気象庁は2020年2月19日、2019年に大きな被害をもたらした台風15号（9月）を「令和元年房総半島台風」、19号（10月）を「令和元年東日本台風」と命名したと発表。台風に名前が付けられたのは、1977年の「沖永良部台風」以来である。気象庁は大きな被害をもたらした気象現象や地震、噴火について、教訓を後世に伝えるなどの目的で名前を定めている。

アルテミス計画に日本も参加～日本人も月に立つ？～

2020年7月10日、日本の萩生田文部科学大臣とブライデンスタインNASA長官が、テレビ会議を通じて、月探査で協力する宣言書に署名した。日本は、2019年10月に、アメリカが提案し、欧州宇宙機関、カナダ、ロシアが参加する国際宇宙探査（アルテミス計画）に参画することを決めていた。アルテミス計画では、2024年の有人月面着陸、2028年頃の月面活動の本格化をめざしている。

日本が協力するのは、月を周回する有人衛星（ゲートウェイ）の居住棟建設や機器等の提供や補給、月面データの共有、月面を走行するための与圧ローバ（自動車）の開発が中心。日本人宇宙飛行士をゲートウェイや月面に送る計画もある。

シベリアで38℃、永久凍土が溶け出す？

2020年6月、ロシア北部のシベリア地方で、38℃を上回る異常な高温が観測された。これは、北極圏での観測史上最高の記録とみられている。こうした地域で高温が続くと、永久凍土が溶け出し、温室効果ガスなどが空気中に排出されることが心配されている。永久凍土は、一年中凍ったままの土地のことで、シベリアなどの北極圏のほか、日本では北海道の大雪山や富士山山頂付近にもある。

国内２例目　海生ワニ類の化石発見　鹿児島県下甑島

2020年9月、鹿児島県薩摩川内市の下甑島で、およそ8000万年前の白亜紀後期の海に生息していたワニ類の歯の化石が発見された。国内では1996年の北海道に次ぐ２例目となる貴重な発見だ。下甑島で見つかったのは、長さおよそ2.5センチの歯の化石。2018年に見つかったもので、体長３～４メートルほどの海生ワニ類のものとみられている。

大型のスペースデブリを処理する会社が日本にできる

地球の周回軌道には、役目を終えた人工衛星やロケットの破片などの宇宙ごみ「スペースデブリ」が無数に漂っている。宇宙開発が進めば進むほど年々増加しており、将来は人類の宇宙活動の妨げになる恐れがあると言われている。日本のJAXA（宇宙航空研究開発機構）では、2020年の春から、宇宙デブリ対策の事業化をめざす民間事業者（アストロスケール社）と協同して、世界初となる大型デブリ回収の実証実験に乗り出している。このプロジェクトでは、まず2022年までに、過去に打ち上げられた国産ロケットの一部に同社の小型衛星を接近させ、精密画像などのデータを採取させる。その後、一回り大きな衛星を打ち上げ、磁力を使って大型デブリを捕まえて、大気圏に再突入させ溶かして除去する計画だ。同社は、2025年までの商業化を目指すという。

2020 NEWS

2020年 ニュース年表

2019年 12月

2日	スペインの首都マドリードで、国連気候変動枠組条約第25回締約国会議（COP25）が開幕（～15日）。2020年から始動する「パリ協定」の実施ルール作りが主な議題。
4日	アフガニスタンで人道支援活動を続けるNGO「ペシャワール会」の現地代表で医師の中村哲さんが、東部ナンガルハル州を車で移動中に銃撃され、死亡した。
9日	ニュージーランドのホワイト島で火山が噴火し、23名が死傷、20名以上が行方不明に。
10日	スウェーデンのストックホルムでノーベル賞の授賞式が行われ、化学賞に選ばれた吉野彰氏（旭化成名誉フェロー）に、メダルと賞状が授与された。

2020年 1月

5日	イランが核合意（2015年締結）の制限を破り、無制限にウランの濃縮を進めると宣言。
11日	台湾の総統選挙が行われ、民進党現職の蔡英文(さいえいぶん)氏が過去最多の得票数で再選された。
11日	安倍晋三首相が中東3か国（サウジアラビア、アラブ首長国連邦、オマーン）を訪問（～15日）。
16日	厚生労働省は、日本で最初の新型コロナウイルス感染者を確認したと発表。
16日	政府は、ユネスコ（UNESCO： 国連教育科学文化機関）に、2021年の世界遺産登録をめざす「北海道・北東北の縄文遺跡群」の推薦書を提出した。
17日	阪神・淡路大震災から25年。追悼(ついとう)の集いが行われ、多くの人が祈りを捧(ささ)げた。
17日	国際地質科学連合は、中期更新世（約77万4000～12万9000年前）の地質時代を「チバニアン」（千葉時代）と正式に命名したと発表。日本の地名が、地質時代の名前の一つの由来になるのは史上初めてのこと。
17日	広島高裁は、「地震や火山リスクの想定・調査が不十分」として、四国電力伊方(いかた)原子力発電所3号機（愛媛県）の運転差し止めを決定した。
17日	日本政府観光局は、2019年の1年間に日本を訪れた外国人旅行者は過去最多の3188万2100人（推定値）と発表した。
24日	トルコ東部でマグニチュード（M）6.7の地震が発生。多くの建物が倒壊するなどして、500人を超える犠牲者が出た（24日現在）と発表。
28日	カリブ海のジャマイカ沖でマグニチュード（M）7.7の巨大地震が発生。
29日	2030年冬季オリンピック・パラリンピックの国内候補地が北海道・札幌市に決まった。

月	日	出来事
	30日	世界保健機関（WHO）は、中国・武漢を発生源とする新型コロナウイルス感染症について、「国際的に懸念される公衆衛生上の緊急事態」を宣言。
	31日	イギリスが欧州連合（EU）から離脱。EUの加盟国が離脱するのは史上初めて。

月	日	出来事
2月	2日	アフリカ東部でサバクトビバッタの大群が発生。ソマリア政府は、農作物に深刻な被害が出ており、食料確保に大きな脅威として、国家非常事態を宣言。
	9日	政府の情報収集衛星「光学７号機」を載せたH-ⅡAロケット41号機の打ち上げに成功。
	10日	欧州宇宙機関（ESA）と米航空宇宙局（NASA）が共同開発した太陽探査機「ソーラーオービター」が、ケネディ宇宙センター（フロリダ州）から打ち上げられた。
	11日	世界保健機関（WHO）が、新型コロナウイルス感染症の正式名を「COVID-19」と名付けたと発表。
	27日	安倍首相は新型コロナウイルス感染症対策として、私立を含め全国全ての小中学校、高校、特別支援学校に、３月２日から春休みに入るまで臨時休校とするよう要請する考えを表明した。

月	日	出来事
3月	5日	核拡散防止条約（NPT）の発効から50年。
	11日	世界保健機関（ＷＨＯ）が、世界で拡大する新型コロナウイルスの感染実態について、「パンデミック」（世界的な大流行）にあたると表明。
	11日	東日本大震災発生から９年。いまだ2500人を超える行方不明者がいる。
	13日	新型コロナウイルス感染症を、新型インフルエンザ等対策特別措置法の対象に加える改正法が可決、成立。
	14日	JR山手線と京浜東北線の新駅「高輪ゲートウェイ」（東京都港区）が開業。山手線では49年ぶりの新駅となる。
	16日	九州電力は、テロ対策施設が期限内に完成しないとして、川内原子力発電所１号機（鹿児島県）の運転を停止した。
	24日	2020東京オリンピック・パラリンピックの開催延期が発表された。
	27日	2020年度予算が参議院本会議で可決、成立。一般会計の総額は102兆6580億円で、８年連続で過去最大に。

月	日	出来事
4月	7日	新型コロナウイルスの感染者増加を受け、政府が史上初の緊急事態宣言（７都府県）を発令。
	14日	気象庁は、冬（2019年12月～2020年２月）の日本の平均気温が1898年の統計開始以降最も高く、平年値を1.66℃上回ったと発表した。

月	日	出来事
4月	14日	総務省が公表した2019年10月１日現在の人口推計によると、在日外国人を含めた総人口は１億2616万7000人。前年比27万6000人減で、９年連続マイナスに。
	16日	政府が７日に発令した緊急事態宣言の対象地域を全国に拡大。
	28日	トルコの勢力下にあるシリア北西部のアフリンで、燃料輸送車が爆発し、約50人が死亡・50人が負傷。トルコ国防省は、クルド人勢力によるテロだと断定。
	30日	特別定額給付金（国民に一律10万円）など新型コロナウイルスの感染拡大に対応するための対策を盛り込んだ、総額25兆6914億円の2020年度補正予算が成立。

月	日	出来事
5月	4日	総務省が公表した2020年４月１日現在の人口推計では、15歳未満の子どもの数は1512万人で39年連続減少、総人口に占める割合は12.0%で46年連続低下。
	12日	京都市埋蔵文化財研究所は、京都御苑内にある「京都仙洞御所」（京都市上京区）から豊臣秀吉が最後に築いた「京都新城」の跡と見られる石垣や堀、金箔瓦が発掘されたと発表。
	18日	航空自衛隊に、自衛隊初の宇宙分野を専門とする「宇宙作戦隊」が発足。人工衛星に宇宙ごみが衝突する危険がないかなどを監視する。
	21日	国際宇宙ステーション（ISS）に物資を運ぶ無人補給機「こうのとり９号機」（HTV９）を搭載したH-ⅡBロケット９号機の打ち上げに成功。両機とも最後の任務となる。
	25日	政府は、新型コロナウイルスの感染拡大にともない、東京など５都道県で継続していた緊急事態宣言を解いた。これで全国に発令した宣言は全面解除に。
	29日	年金制度改正法が成立。年金の受給開始時期の選択肢を、これまでの「60歳～70歳」から「60歳～75歳」へ拡大することなどが盛り込まれた。
	31日	米国スペースXの新型宇宙船「クルードラゴン」が、民間企業の有人宇宙船としては初めて、国際宇宙ステーション（ISS）とのドッキングに成功。

月	日	出来事
6月	3日	日米などの大学教授から成る国際グループが英科学誌『ネイチャー』で、メキシコ南部にあるアグアダ・フェニックス遺跡から、紀元前1000～800年に築かれたマヤ文明で最古最大の公共建築物（祭祀場）を発見したと発表。
	6日	東京メトロ日比谷線に56年ぶりの新駅「虎ノ門ヒルズ」が霞ケ関と神谷町の間に開業。
	12日	新型コロナウイルスに対応する追加経済対策を盛り込んだ、2020年度第2次補正予算が成立。総額は過去最大の31兆9114億円に。
	15日	2020年１月時点の世界が保有する核弾頭数の推計は、約１万3400発（米ロ英など８か国と、ほかに北朝鮮が30～40発保有の合計）で前年より465発減少した、とストックホルム国際平和研究所が発表。
	15日	河野太郎防衛大臣が、地上配備型迎撃ミサイルシステム「イージス・アショア」の配備計画の停止を表明。24日には断念した。
	16日	北朝鮮は、2018年４月の韓国との首脳会談で合意した「板門店宣言」に基づき設置された、北朝鮮側の開城にある「南北共同連絡事務所」を爆破した。

	19日	文化庁は、「日本ワイン140年史～国産ブドウで醸造する和文化の結晶～」(茨城・山梨県)や「霊気満山 高尾山～人々の祈りが紡ぐ桑都物語～」(東京都)など21件を新たに日本遺産に認定した。
	21日	日本各地で部分日食を観測。夏至に日食が起こるのは1648年以来372年ぶり。
	22日	スーパーコンピューターの計算速度を競う「TOP500」で、スパコン「富岳」が世界1位を獲得。
	23日	沖縄戦の終結から75年。沖縄戦最大の激戦地であり、終結の地となった糸満市の平和祈念公園で、「沖縄全戦没者追悼式」が行われた。
	25日	千葉県の東方沖を震源とするマグニチュード(M)6.1の地震が発生し、最大震度5弱を観測。気象庁は東北地方太平洋沖地震(2011年発生)の余震とみられると発表。
	25日	サッカー FIFA女子ワールドカップ2023の開催地がオーストラリアとニュージーランドに決定。
	30日	中国で、香港での反体制活動の取り締まりを強める「香港国家安全維持法」(国安法)が成立し、この日の夜施行された。

7月	1日	プラスチック製買物袋(レジ袋)の有料義務化がスタート。
	1日	熱中症予防のための注意を呼びかける情報「熱中症警戒アラート」が、関東甲信地方の1都8県で先行スタート(～10月28日)。
	1日	ロシアで憲法改正の是非を問う全国投票が行われ、賛成が約8割を占めた。4日に改正憲法が発効され、プーチン大統領は最長2036年まで続投が可能に。
	2日	関東地方の上空で火球(明るく大きな流れ星)が目撃された(のちに隕石(いんせき)と判明)。
	3日	政府は、発電効率が低く二酸化炭素の排出量が多い石炭火力発電所114基のうち約9割の100基程度を、2030年度までに段階的に休廃止する方針を発表した。
	4日	熊本・鹿児島両県に大雨特別警報が発令。各地で土砂崩れや、熊本県を流れる球磨川が氾濫するなど、大きな被害が出た。
	4日	6月中旬から噴火が確認されていた小笠原諸島の西之島で、観測史上最高度となる8300mの噴煙が確認された。
	5日	任期満了にともなう東京都知事選挙が行われ、現職の小池百合子氏が再選。
	6日	アメリカは世界保健機関(WHO)から2021年7月6日付で脱退すると国連に通知。
	6日	九州・四国・中国地方を中心に甚大な被害をもたらした西日本豪雨から2年。現在も4000人を超える人が仮設住宅で暮らす。
	6日	大雨特別警報が長崎・福岡・佐賀の3県に発令。計95万人超に避難指示が出された。
	8日	群馬県安中市の地層で発見されたイルカの頭部化石が、マイルカ科としては世界最古となる約1130万年前の新種であるとわかった。

月	日	出来事
7月	16日	将棋棋士・藤井聡太七段が棋聖戦五番勝負に勝利し、史上最年少記録を30年ぶりに更新する17歳11か月で初タイトル（棋聖）を獲得。
	22日	新型コロナウイルスの影響で消費が落ち込んでいる観光需要の喚起策「Go To トラベル」キャンペーンがスタート。東京都民と都内への旅行は除外となった。
	28日	停滞した梅雨前線の影響で東北地方で記録的な大雨が降り続き、山形県を流れる最上川が氾濫（はんらん）し、広範囲にわたって多くの住宅が浸水の被害を受けた（～29日）。
8月	1日	関東甲信地方で梅雨明け。平年より11日遅く、8月の梅雨明けは13年ぶり。
	4日	レバノンの首都ベイルートの港湾地区で、火薬の原料を保管した倉庫で大規模爆発が発生。約80人が死亡、約4000人が負傷したほか、30万人以上が家を失った。
	13日	イスラエルとアラブ首長国連邦（UAE）が国交正常化で合意。
	17日	静岡県浜松市で、国内最高気温に並ぶ41.1℃を記録した。
	18日	11月に行われる米大統領選挙の民主党の候補として、前副大統領のジョー・バイデン氏が正式に指名された。
	23日	ベラルーシの首都ミンスクで、9日に実施された大統領選挙の不正疑惑を巡って、ルカシェンコ大統領の退陣を求める過去最大級規模の抗議デモが行われた。
	24日	安倍首相の連続在任日数が佐藤栄作を抜く2799日となり、首相の在任期間が歴代最長となった。
	28日	安倍首相が持病の再発・悪化を理由に、辞任の意向を表明した。
9月	1日	「マイナポイント」事業が開始。マイナンバーカードをキャッシュレス決済サービスと連携させることで、チャージまたは買い物に対して、25%の“プレミアム”が付与される。上限は5,000円相当。
	3日	江戸後期の浮世絵師、葛飾北斎の未公開の素描103点を新たに所蔵したと、イギリスのロンドンにある大英博物館が発表。
	5~7日	台風10号が九州地方に接近。九州や中国・四国地方が暴風域に入り、約880万人に避難指示・勧告が発令された。通信障害や40万戸以上で停電が相次ぐなどの被害も。
	6日	米国のカリフォルニア州ロサンゼルスで、観測史上最高気温となる49.4℃を記録。
	10日	立憲民主党と国民民主党の合流新党の代表と党名を決める選挙が実施された。代表は枝野幸男氏が当選、党名は立憲民主党に決定した。
	12日	大坂なおみ選手がテニスの全米オープン女子シングルスで優勝した。
	14日	事実上の次の総理大臣選びとなる、自民党総裁選挙が行われた。石破茂氏、菅義偉氏、岸田文雄氏が争って、菅義偉氏が勝利した。

基本を確認！キーワードチェック

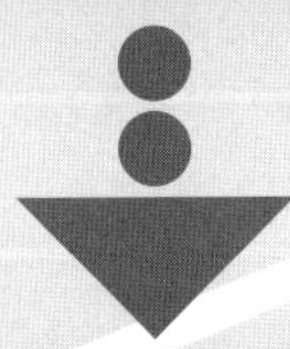

基本を確認！ キーワードチェック①
〔国内政治・経済〕

次の各問いに答えなさい。

□ ① 2019年12月に中国の武漢市で発生し、短期間で世界各地に広がり猛威をふるっている感染症の名前を答えなさい。2020年８月時点で感染者は2500万人以上、死者も84万人を超えています。

（　　　　　　　　）

□ ② 日本で①の感染拡大を防ぐため、2020年４月７日に７都府県に、16日に新たに40道府県に発令された宣言を何といいますか。

（　　　　　　　　）

□ ③ 感染症の世界的大流行を意味する言葉をカタカナで答えなさい。

（　　　　　　　　）

□ ④ 小規模な集団感染や、それによってできた感染者の集団を何といいますか。カタカナで答えなさい。もとの意味は「群れ、かたまり」などです。

（　　　　　　　　）

□ ⑤ 保健衛生の分野を担当する、スイスのジュネーブに本部がある国連の機関をアルファベットで答えなさい。この機関は、感染が拡大する①の収束に向けて、2020年３月には③を表明しました。

（　　　　　　　　）

□ ⑥ 地域住民の健康を守り増進を図るため、公衆衛生活動を行う公的機関の名前を答えなさい。日本の①対応では最前線に立っています。

（　　　　　　　　）

□ ⑦ ICTを活用し、自宅など勤務先以外の場所で働くなど場所や時間にとらわれない柔軟な働き方を何といいますか。①の感染拡大をきっかけに多くの企業がこれに移行しました。

（　　　　　　　　）

□ ⑧ 2019年４月１日、「平成」の次の元号は「令和」と発表されました。「令和」の出典となった現存する日本最古の歌集の名前を答えなさい。

（　　　　　　　　）

□ ⑨ 内閣の助言と承認によって、国民のために天皇が行う、憲法に定められている行為を何といいますか。

（　　　　　　　　）

□ ⑩ 2012年に首相に返り咲き、2020年８月24日には連続在職日数が歴代１位となった日本の首相の名前を答えなさい。この首相は８月28日に辞意を表明しました。

（　　　　　　　　）

□ ⑪ 「令和」を発表した⑩の内閣の官房長官（かんぼうちょうかん）の名前を答えなさい。2020年９月、この人物は第99代内閣総理大臣に就任しました。

（　　　　　　　　）

□ ⑫ 2020年７月５日に実施された東京都知事選挙で再選を果たした人物の名前を答えなさい。

（　　　　　　　　）

□ ⑬ 選挙権や被選挙権、選挙の方法や議員の定数などを定めた法律の名前を答えなさい。

（　　　　　　　　）

□ ⑭ 2018年６月に民法が改正され、成人年齢が引き下げられることが決定しました。この改正が施行される2022年４月から成人年齢は何歳に引き下げられますか。

（　　　　　　）

□ ⑮ 2020年８月現在の参議院議員の定数と、2022年７月26日以降の参議院議員の定数をそれぞれ答えなさい。

（現在 ：　　　　　人）（2022年 ：　　　　　人）

□ ⑯ 2020年８月現在の選挙権年齢は何歳以上ですか。

（　　　　　　）

□ ⑰ 2019年10月１日に税率がアップした、少子高齢化による歳入不足に対応するための間接税の名前と、増税後の税率をそれぞれ答えなさい。

（　　　　　　）（　　　　　　）

□ ⑱ ⑰の税率引き上げに伴って導入された、本来かけるべき税率を低く抑(おさ)える税制上の特別な措置(そち)を何といいますか。お酒と外食をのぞく飲食物などに適用されています。

（　　　　　　）

□ ⑲ 地方創生(そうせい)のための財源確保を目的に行われている、応援したい自治体に寄付をすると税の一部が控除(こうじょ)される制度を何といいますか。2019年６月から、返礼品は「寄付額の３割以下の地場産品」に限定されました。

（　　　　　　）

□ ⑳ 毎月一定額の保険料を納め、一定の年齢に達すると給付(きゅうふ)されるお金を何といいますか。2019年８月には、約30年後の給付水準は現在より２割ほど減るとする、この制度の長期的な見通しを示す５年に１度の財政検証の結果が公表されました。

（　　　　　　）

□ ㉑ 東京・築地市場の移転先として、2018年10月に開場した豊洲市場は東京都の何区にありますか。

（　　　　　　）

□ ㉒ 2018年７月に統合型リゾート（IR）実施法案が可決・成立しました。ギャンブル依存などを心配する声があがっているこの法律の通称名を答えなさい。

（　　　　　　）

□ ㉓ 国際競技力の向上から学校の部活動、国民の健康増進、地域振興まで、スポーツに関する施策を総合的に推進するため、文部科学省の外局として設置されている省庁名を答えなさい。

（　　　　　　）

□ ㉔ 国民一人ひとりに12桁の番号を与え、それによって課税や社会保障の給付を一元管理する制度を答えなさい。

（　　　　　　）

□ ㉕ アメリカ軍基地の名護市辺野古(へのこ)への移設をめぐり、政府と沖縄県が対立しています。沖縄県の市街地にあり、「世界一危険な基地」といわれるこの飛行場の名前を答えなさい。

（　　　　　　）

基本を確認！ キーワードチェック②〔社会・生活・環境〕

次の各問いに答えなさい。

□ ① 2019年７月に新たに世界文化遺産に登録された、大阪府堺市など３都市に残る、４世紀後半から５世紀後半に築造された古墳の集まりを何といいますか。

（　　　　　　　）

□ ② ①に含まれる構成資産の１つで、仁徳天皇陵とされる世界最大級の古墳の名前を答えなさい。

（　　　　　　　）

□ ③ ②の古墳の形状を何といいますか。長方形（台形）と円形をつなぎ合わせたような形で、上から見るとかぎの穴のような形をしています。

（　　　　　　　）

□ ④ 2018年に世界文化遺産に登録された潜伏キリシタン関連遺産がある都道府県を２つ答えなさい。

（　　　　　　　）（　　　　　　　）

□ ⑤ 2017年に世界文化遺産に登録された福岡県の沖ノ島は、古代祭祀跡とそこから出土した遺物のほぼすべてが国宝に指定されていることから「海の（　　　）」と呼ばれています。（　　　）にあてはまる語句を答えなさい。

（　　　　　　　）

□ ⑥ 日本では「能楽」「和紙」「来訪神 ： 仮面・仮装の神々」など21件が登録されている（2020年８月現在）民俗芸能、儀式や祭礼などの保護のためにユネスコが定める遺産を何といいますか。

（　　　　　　　）

□ ⑦ 天地開闢（天地の始まり）から第41代の持統天皇までの時代を収めた、日本に伝存する最古の「正史」（正式な歴史書）の名前を答えなさい。この書物は舎人親王を中心に編纂され、720年に完成したとされています。

（　　　　　　　）

□ ⑧ 海洋汚染の原因となっているプラスチックごみを減らすため、2020年７月から有料化が義務づけられた製品の名前を答えなさい。

（　　　　　　　）

□ ⑨ 捨てられた⑧やペットボトルなどが、風や雨によって川から海に運ばれ、海では紫外線を浴びて劣化し、波の力などでくだけて、１㎜あるいは５㎜以下になった小さな破片を何といいますか。

（　　　　　　　）

□ ⑩ 政府は、新型コロナウイルスの影響で、旅行客が激減している観光業界を応援する、Go To（　　　）キャンペーンを、2020年７月より始めました。（　　　）にあてはまる語句を答えなさい。

（　　　　　　　）

□ ⑪ 「外から中に向かう」という意味で、日本を訪れる外国人観光客を何といいますか。カタカナで答えなさい。

（　　　　　　　）

□ ⑫ 一人の女性が一生の間に産む平均の子どもの数を何といいますか。厚生労働省の発表によると、2019年のその数は1.36で、４年連続で低下しました。（　　　　　　　）

□ ⑬ 2019年４月、政府は2024年度上期をめどに紙幣を新しいデザインに刷新すると発表しました。一万円札、五千円札、千円札の肖像画（しょうぞうが）に選ばれた人物の名前をそれぞれ答えなさい。

（一万円札 ：　　　　　　　　）（五千円札 ：　　　　　　　　）（千円札 ：　　　　　　　　）

□ ⑭ 2019年度の日本の食料自給率（カロリーベース）は何％ですか。

（　　　　　　　　）

□ ⑮ 2020年３月、東京のJR山手線に約半世紀ぶりに開業した駅の名前を答えなさい。

（　　　　　　　　）

□ ⑯ 2020年７月に発生した記録的大雨で氾濫（はんらん）が続いた、山形県をほぼ縦断する川の名前を答えなさい。この川は日本三大急流の一つです。

（　　　　　　　　）

□ ⑰ 災害現場での捜索（そうさく）や農薬の散布（さんぷ）など活躍の場が広がっている、遠隔操作（えんかくそうさ）で飛ばす小型の無人航空機を何といいますか。

（　　　　　　　　）

□ ⑱ 子育て中の保護者が保育所に入所を申請（しんせい）しても、施設や保育士が不足しているために入所ができない児童の急増が問題になっています。このような児童を何といいますか。

（　　　　　　　　）

□ ⑲ ビットコインのように、特定の国家による価値の保証を持たない、暗号化されたデジタル通貨を総称して何といいますか。

（　　　　　　　　）

□ ⑳ 特定の人種や民族などへの憎悪（ぞうお）をあおる言動のことで、「差別的憎悪表現」といわれるものを何といいますか。

（　　　　　　　　）

□ ㉑ 2020年４月に導入20年を迎えた、介護を必要とする人やその家族が抱える不安や負担を、社会全体で支え合うことを目的とした制度を答えなさい。

（　　　　　　　　）

□ ㉒ 階段などの段差の解消、使いやすく広いトイレ、点字ブロックなど、障がいを持つ人、高齢の人なども社会生活がしやすいように環境を整えることを何といいますか。

（　　　　　　　　）

□ ㉓ 2019年に新たに制定された、過去に発生した津波や洪水、土砂災害など、自然災害に関する情報を伝える石碑（せきひ）やモニュメントを示す地図記号を何といいますか。

（　　　　　　　　）

□ ㉔ 1973年に採択され、絶滅のおそれがある野生の動植物の国際取引を規制する条約を何といいますか。

（　　　　　　　　）

□ ㉕ 「観光立国の実現」を目指して、魅力ある観光地づくりなどの取り組みを行う省庁の名前を答えなさい。

（　　　　　　　　）

基本を確認！ キーワードチェック③〔国際・外交〕

次の各問いに答えなさい。

□ ① 2018年7月からアメリカとの間で、輸入品に追加関税をかけ合う貿易戦争を続けてきた国と、この国の指導者の名前をそれぞれ答えなさい。2020年2月には貿易協議をめぐる第一段階の合意が発効し、貿易戦争は一時休戦に入りました。

(国：　　　　　)(指導者：　　　　　)

□ ② 2020年6月、全国人民代表大会(全人代)で、ある地域での中国政府への抗議活動を取り締まる「国家安全維持法」が成立しました。中国の特別行政区であるこの地域の名前を答えなさい。

(　　　　　)

□ ③ 中国の一部である②の地域に、中国本土とは違う経済の仕組みや高度な自治を認める制度を何といいますか。

(　　　　　)

□ ④ 2016年の国民投票で欧州連合(EU)からの離脱(りだつ)を決めてから約3年半に及ぶ混乱を経て、2020年1月31日に離脱を果たした国の名前を答えなさい。また、その離脱をめぐる混乱の責任を取り辞任したメイ首相に代わり、2019年7月に首相に就任(しゅうにん)した人物の名前を答えなさい。

(国：　　　　　)(首相：　　　　　)

□ ⑤ 2020年11月に行われるアメリカ大統領選挙で、大統領就任をめざしている民主党と共和党の候補者名をそれぞれ答えなさい。

(民主党：　　　　　)(共和党：　　　　　)

□ ⑥ アメリカと北朝鮮の最高指導者による2回目の会談が2019年2月にベトナムの首都ハノイで行われました。北朝鮮の首脳の名前を答えなさい。

(　　　　　)

□ ⑦ 2019年9月、半導体材料などの輸出管理をめぐり差別的措置(そち)を受けたとして、日本を世界貿易機関(WTO)に提訴(ていそ)した国と、この国の大統領の名前をそれぞれ答えなさい。

(国：　　　　　)(大統領：　　　　　)

□ ⑧ 2019年に導入20年を迎(むか)えた欧州連合(EU)の統一通貨の名前を答えなさい。

(　　　　　)

□ ⑨ 欧州連合の本部があるベルギーの都市の名前を答えなさい。

(　　　　　)

□ ⑩ 元ポルトガル首相で、2020年8月現在の国際連合(UN)の事務総長の名前を答えなさい。

(　　　　　)

□ ⑪ 193か国が加盟する(2020年8月現在)国際連合の本部がある、アメリカの都市の名前を答えなさい。

(　　　　　)

□ ⑫ 1920年、ベルサイユ条約に基づき設立された史上初の国際平和機構を何といいますか。

(　　　　　)

□ ⑬ 戦争などで住む場所を失った人々や、政治的対立、宗教的・人種的迫害(はくがい)などの危険から逃(のが)れるため、住んでいた国を離れざるを得なくなった人々のことを何といいますか。

(　　　　　)

□ ⑭ ⑬の人々の保護や支援を行う、スイスのジュネーブに本部が設置されている国連の機関をアルファベットで答えなさい。

（　　　　　　）

□ ⑮ 特定の国・地域の間で関税をなくし、モノやサービスの自由な貿易を進める自由貿易協定をアルファベットで答えなさい。

（　　　　　　）

□ ⑯ ⑮の協定の内容に投資や知的財産の保護などを加えて、より経済関係を強化した経済連携協定をアルファベットで答えなさい。日本とEUは、2019年2月にこの協定が発効しました。

（　　　　　　）

□ ⑰ 太平洋を囲む12の国で交渉が進められてきたTPP（環（かん）太平洋経済連携協定）からの離脱を表明した国はどこですか。2018年3月にこの国を除く11か国は「TPP11」に署名し、12月に発効しました。

（　　　　　　）

□ ⑱ 世界で消費される原油の約3割が通過する、ペルシャ湾とオマーン湾の間にある海峡（かいきょう）を何といいますか。2019年6月、この海峡付近で日本の海運会社が運航するタンカーが攻撃されました。

（　　　　　　）

□ ⑲ ルカシェンコ大統領が6選を決めた、2020年8月の大統領選挙の結果をめぐって、抗議デモが続いている国の名前を答えなさい。この国の東はロシア、西はポーランドに接しています。

（　　　　　　）

□ ⑳ 2020年8月13日、アラブ首長国連邦（UAE）と国交の正常化で合意した国の名前を答えなさい。この国は、1948年の独立直後から、これを認めない周辺のアラブ諸国と4次にわたる中東戦争などでたびたび戦火を交え、今も多くの国と敵対しています。

（　　　　　　）

□ ㉑ 原子力の軍事利用を防ぐために核開発を行う国に核査察を行い、原子力の平和利用を促進する「核の番人」とよばれる機関の名前を答えなさい。

（　　　　　　）

□ ㉒ 中東を中心とした産油国の利益を守るために、石油の生産量や価格の調整をする役割を果たしている石油輸出国機構の略称を何といいますか。アルファベットで答えなさい。

（　　　　　　）

□ ㉓ 2020年以降の地球温暖化対策の枠組（わくぐ）みを定めた国際協定の名前を答えなさい。

（　　　　　　）

□ ㉔ 領土問題など、国同士の争いを対象に裁判を行う、オランダのハーグに設置されている国連の常設機関を何といいますか。

（　　　　　　）

□ ㉕ 発展途上国に対して経済発展を支援する政府開発援助をアルファベットで答えなさい。

（　　　　　　）

基本を確認！ キーワードチェック④〔理科総合〕

次の各問いに答えなさい。

□ ① 細菌やウイルスといった病原体が体内に侵入したとき、それらを攻撃し、追い出す働きをするために体内で産出されるタンパク質の一種「免疫(めんえき)グロブリン」を何といいますか。

( )

□ ② あらかじめ毒性を弱めたり、無毒化したりした病原体を体内に投与することで免疫（抵抗力）を獲得し、対象となる感染症の発症や重症化を防ぐ効果を持つ医薬品のことを何といいますか。

( )

□ ③ 小惑星「イトカワ」のサンプルを持ち帰った探査機の後継機(こうけいき)です。2014年に打ち上げられて2018年に目的地の小惑星「リュウグウ」に到着、翌年２月と７月には着陸を果たし、表面の岩石や世界で初めて小惑星地下物質の採取に成功した、2020年12月に地球に帰還する予定の小惑星探査機を何といいますか。

( )

□ ④ アメリカ、ロシア、ヨーロッパ諸国、カナダ、日本の15か国の共同で建設された、高度約400kmの宇宙空間にある大型の有人施設を何といいますか。

( )

□ ⑤ アメリカのスペースシャトルの引退後、宇宙飛行士を④に運ぶ手段として活動するロシアの宇宙船を何といいますか。

( )

□ ⑥ ④に設置されている日本の実験棟の名前を答えなさい。

( )

□ ⑦ ④に物資を運ぶために日本が開発した無人補給機「HTV」の愛称をひらがなで答えなさい。2009年に１号機を初めて搭載して打ち上げに成功して以降11年にわたり運用されてきましたが、2020年の９号機で任務を終えました。

( )

□ ⑧ 2018年10月に南米のフランス領ギアナの宇宙センターから日本の探査機「みお」が打ち上げられました。「みお」が探査を行う、太陽に最も近い惑星の名前を答えなさい。

( )

□ ⑨ 太陽・月・地球の順に並び、月が太陽の一部分をかくす天文現象を何といいますか。2020年６月21日には、日本からこの現象が観測できました。

( )

□ ⑩ 2020年７月、関東上空で目撃された火球の燃え残りが隕石(いんせき)として落下しました。この隕石が最初に発見された千葉県の都市の名前を答えなさい。

( )

□ ⑪ 2018年７月23日、埼玉県熊谷(くまがや)市で国内最高気温を記録しました。その気温は何度ですか。

( )

□ ⑫ 2020年８月17日、国内最高気温に並ぶ⑪を記録した静岡県の都市の名前を答えなさい。

( )

□ ⑬ 2020年６月20日、北極圏で過去最高気温となる38℃を記録したロシアの極東に位置するこの地域の名前を答えなさい。

（　　　　　　　）

□ ⑭ １日の最高気温が35℃以上の日を何といいますか。

（　　　　　　　）

□ ⑮ 夜間の最低気温が25℃以上の夜を何といいますか。

（　　　　　　　）

□ ⑯ 冷暖房（れいだんぼう）や自動車の排熱（はいねつ）による気温の上昇（じょうしょう）や、コンクリートやアスファルトの蓄熱（ちくねつ）により、都市部の気温が周辺地域より高くなる現象を何といいますか。

（　　　　　　　）

□ ⑰ 気温や湿度が高い気象状況の中で起こる体の不調のことで、めまいや失神、疲労感（ひろうかん）、吐（は）き気などが起こります。こまめな水分補給（ほきゅう）や休息などの予防が大切になるこの症状を何といいますか。

（　　　　　　　）

□ ⑱ 2020年７月３日〜８日に熊本を中心とする九州地方などで記録的な大雨が続き、大きな被害が出ました。その際にも発表された、大雨、高潮などにより数十年に一度の大災害が起こるおそれが著（いちじる）しく大きい場合に、気象庁が発表する警報を何といいますか。

（　　　　　　　）

□ ⑲ 令和２年７月豪雨の記録的大雨を降らせた一因とされる、積乱雲が次々に発生し、帯状に連なる現象を何といいますか。

（　　　　　　　）

□ ⑳ 2019年に日本に上陸して甚大（じんだい）な被害をもたらした、９月の台風15号と10月の19号につけられた名前をそれぞれ答えなさい。台風に名前をつけるのは1977年の沖永良部台風以来のことです。

（台風15号 ：　　　　　　　）（台風19号 ：　　　　　　　）

□ ㉑ 2016年４月に発生した熊本地震の原因にもなった、今後ずれる可能性がある断層（だんそう）を何といいますか。

（　　　　　　　）

□ ㉒ 大きな地震が発生すると、震源の周辺では最初の地震よりも規模の小さな地震が引き続き起こることがよくあります。このような地震を何といいますか。

（　　　　　　　）

□ ㉓ 巨大地震の発生が警戒（けいかい）されている、駿河（するが）湾から九州東方沖の海底に広がっている水深4000ｍ級の深い溝（みぞ）を何といいますか。

（　　　　　　　）

□ ㉔ 震源で地震が放出したエネルギーの大きさを表す尺度（しゃくど）を何といいますか。

（　　　　　　　）

□ ㉕ ある地点での地震のゆれの大きさを表し、10段階に分けているものを何といいますか。

（　　　　　　　）

□ ㉖ 海底で地震が起こったとき、海底の地盤の変動で押し上げられた海水がまわりに広がっていく波を何といいますか。

（　　　　　）

□ ㉗ 地震のゆれは波で伝わり、この波には速い波と遅い波の２種類があります。速い波は小さなゆれ（初期微動）を、遅い波は大きなゆれ（主要動）をもたらしますが、この２つの波をそれぞれ何といいますか。アルファベットを使って答えなさい。

（速い波：　　　　　）（遅い波：　　　　　）

□ ㉘ 火山活動が活発化し、2020年７月には観測史上最高の8300ｍの噴煙が観測された、小笠原諸島にある島を答えなさい。この島は噴火を始めた2013年以降、その面積を拡大し続けています。

（　　　　　）

□ ㉙ 環境省版レッドリストで準絶滅危惧種に分類されている、日本で秋の味覚として人気の菌類（キノコ）の名前を答えなさい。2020年７月には国際自然保護連合（IUCN）がこの菌類を絶滅危惧種に認定しました。

（　　　　　）

□ ㉚ もともと日本に生息していたのではなく、人間の手によって日本に持ちこまれた生物の中で、カミツキガメなどのように、人や生態系（せいたいけい）に害をおよぼす可能性があると指定された生物を何といいますか。

（　　　　　）

□ ㉛ 日本各地の貿易港の周辺で相次いで発見されている、毒を持つ南米原産の㉚の名前を答えなさい。

（　　　　　）

□ ㉜ がん免疫（めんえき）治療薬「オプジーボ」の開発・実用化につながる研究で、2018年に本庶佑（ほんじょたすく）氏が受賞した国際的な賞を何といいますか。

（　　　　　）

□ ㉝ 皮膚（ひふ）などの体細胞に遺伝子操作を加えてつくる万能（ばんのう）細胞を何といいますか。この細胞は難病などの再生医療の分野での活用が期待され、2020年には重症の心不全患者に移植されたほか、頭頸部（とうけいぶ）のがん患者などに対する治験が予定されています。

（　　　　　）

□ ㉞ 日本の理化学研究所が新しい元素を発見し、アジアで初めてその命名権を獲得（かくとく）した原子番号113番の新しい元素の名前を答えなさい。

（　　　　　）

□ ㉟ 千葉県市原市にある地磁気の反転を示す地層によって2020年１月に国際地質科学連合により命名された、約77万4千年～12万９千年前の地質時代「千葉時代」を意味する呼び方をカタカナで何といいますか。

（　　　　　）

□ ㊱ 人間と同じように判断や推論、学習をして行動ができる、現在テクノロジーの領域で注目されているものは何ですか。

（　　　　　）

2021年入試
予想総合問題

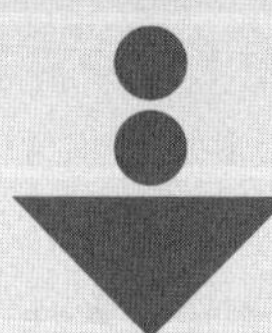

予想問題　社会総合(1)

〔新型コロナウイルス感染拡大〕

新型コロナウイルスの感染拡大に関する次の文章を読んで、あとの問いに答えなさい。

　2019年末、中国の［　A　］市で最初に感染が広がった①新型コロナウイルスは、またたくまに②世界的に流行しました。2020年8月20日現在、世界の感染者は2238万人を超えており、［　B　］・ブラジル・インドの上位3カ国で世界の感染者の半数以上を占めています。

　日本では、2020年1月16日に厚生労働省が国内初の感染者の確認を発表しました。翌月5日には横浜に停泊していた③大型の客船ダイヤモンド・プリンセス号の乗客乗員10人の感染が確認され、2月13日には国内初の死者が出ました。27日には安倍前首相が感染拡大を防ぐため全国すべての小・中・高校などに3月2日から春休みまでの一斉休校を要請しました。3月13日、改正新型インフルエンザ等対策特別措置法が成立し、翌日に施行されました。24日には、④東京オリンピック・パラリンピックの延期が決まりました。4月1日、安倍前首相が1世帯当たり布マスク2枚の配布を発表しました。7日には首都圏など⑤7都府県を対象に［　C　］が発令され、16日には対象区域が全国に拡大されました。同日、安倍前首相が当初の方針をひるがえして国民への⑥一律10万円支給を表明しました。29日、安倍前首相は国会で［　D　］月入学を検討する考えを示しますが、与党などの反発を受けて事実上断念します。4月1日、政府は全世界からの日本人を含む入国者に指定場所での［　E　］の待機と、公共交通機関の不使用を要請する入国制限の措置を決定しました。5月4日には、［　C　］を全国一斉に5月31日まで延長することを決めました。

　6月2日、東京は都民に⑦新型コロナウイルスの感染状況と警戒をよびかけるため［　F　］を発動すると発表しました。7月に、沖縄県は普天間飛行場などの米軍基地内で新型コロナウイルスの感染者が新たに45人確認されたと発表しました。7月22日、政府は「Go To［　G　］」キャンペーンを開始し、観光の起爆剤として期待されましたが、［　H　］は対象外となりました。

問1　［　A　］にあてはまる都市を次のア～エから選び、記号で答えなさい。

　ア　北京　　イ　南京　　ウ　上海　　エ　武漢

問2　［　B　］にあてはまる国名を答えなさい。

問3　［　C　］にあてはまる語句を漢字6字で答えなさい。

問4　［　D　］にあてはまる数字を答えなさい。

問5　［　E　］にあてはまるものを次のア～ウから選び、記号で答えなさい。

　ア　2日間　　イ　2週間　　ウ　2ヶ月間

問6　[　F　]にあてはまる語句を6字で答えなさい。

問7　[　G　]にあてはまる語句をカタカナ4字で答えなさい。

問8　[　H　]にあてはまる都道府県名を答えなさい。

問9　下線部①について、次の問いに答えなさい。

(1)　次の文の(1)･(2)にあてはまるものをあとのア～オから選び、それぞれ記号で答えなさい。
<2020年2月11日、(　1　)は、新型コロナウイルスによる病気の正式名称を(　2　)と命名したと発表。>

ア　WTO　　イ　WHO　　ウ　NGO　　エ　COP　　オ　COVID—19

(2)　次の文の(　　)にあてはまる語句を漢字で答えなさい。
<ウイルスは(　　　)顕微鏡でないと見られません。>

問10　下線部②について、感染症の世界的流行を何といいますか。カタカナで答えなさい。

問11　下線部③のような船旅用の大型旅客船を何といいますか。

問12　下線部④について、これまでにオリンピックが戦争によって中止になったことはありますが、延期になるのは、初めてです。かつて日本は東京オリンピックの開催を返上しました。これにはある戦争が関係しています。その戦争を次のア～エから選び、記号で答えなさい。

ア　日清戦争　　イ　第一次世界大戦　　ウ　日中戦争　　エ　太平洋戦争

問13　下線部⑤に含まれていない府県を次のア～オから2つ選び、記号で答えなさい。

ア　大阪府　　イ　京都府　　ウ　沖縄県　　エ　福岡県　　オ　兵庫県

問14　下線部⑥のお金を何といいますか。漢字7字で答えなさい。

問15　下線部⑦に関連するさまざまなカタカナ用語がマスメディアで報じられました。次の⑴～⑸の意味をあとのア～オから選び、それぞれ記号で答えなさい。

⑴　クラスター　　⑵　オーバーシュート　　⑶　ロックダウン

⑷　テレワーク　　⑸　ソーシャルディスタンス

ア　都市封鎖　　イ　社会的距離　　ウ　時間や場所を問わない柔軟な働き方

エ　感染者集団　　オ　爆発的感染

予想問題　社会総合(2)

〔国内政治〕

次のスケジュールは参議院のホームページに掲載されている『国会のしくみと法律ができるまで！』「国会の一年」（一部省略）です。この資料を見て、あとの問いに答えなさい。

国会の一年　その時々の政治情勢などにより、実際のスケジュールは変わってきます。

1月

・①常会（通常国会）の召集

常会は、毎年1月に召集されます。会期は［A］日間です。常会では、政府から翌年度の総予算やたくさんの法律案が提出され、審議されます。

・開会式

・国の総予算の国会提出

・②内閣総理大臣による施政方針演説など　・政府四演説　・各会派からの質疑（代表質問）

2月

・③総予算の審議（［B］議院・［C］議院）

総予算は［B］議院で先に審議が行われます。［B］議院で議決されると次に［C］議院で審議されます。年度内に予算が成立しないときは、［D］が組まれることもあります。

3月

・④法律案・条約等の審議

6月

・常会の会期終了

国会が閉会している間に、議員を地方や海外に派遣して実情調査を行うこともあります。

また、［E］年ごとにある参議院議員の通常選挙は7月前後に実施されています。

9月

・臨時会（臨時国会）の召集

・開会式

・内閣総理大臣による所信表明演説

10月

・各会派からの質疑（代表質問）　・［F］の審議　・法律案・条約等の審議

11月

・［G］の国会提出　・参議院本会議で［G］の概要報告・質疑

12月

・臨時会の会期終了

問1　[A]・[E]にあてはまる数字を、[B]・[C]にあてはまる漢字をそれぞれ答えなさい。

問2　[D]・[F]・[G]にあてはまる語句を次のア～オから選び、それぞれ記号で答えなさい。

ア　一般会計予算　　イ　特別会計予算　　ウ　補正予算　　エ　暫定予算　　オ　決算

問3　下線部①について、常会(通常国会)の召集を決める機関名を答えなさい。また、常会を召集するのは誰ですか。

問4　下線部②について、次の文は日本国憲法第67条の条文です。文中の(1)・(2)にあてはまる語句を漢字で答えなさい。

内閣総理大臣は、(　1　)の中から国会の議決で、これを(　2　)する。

問5　下線部③について、次の各問いに答えなさい。

(1)　2020年度予算(一般会計総額)のおよその額を次のア～エから選び、記号で答えなさい。

ア　約80兆円　　イ　約90兆円　　ウ　約100兆円　　エ　約110兆円

(2)　次のグラフⅠ・Ⅱ中に示された①～⑤にあてはまるものを右下のア～カから選び、それぞれ記号で答えなさい。なお、2020年度は当初の予算より新型コロナウイルス対策で一般会計予算は大幅にふくらみました。

一般会計歳入の主要科目別割合（会計年度）

Ⅰ
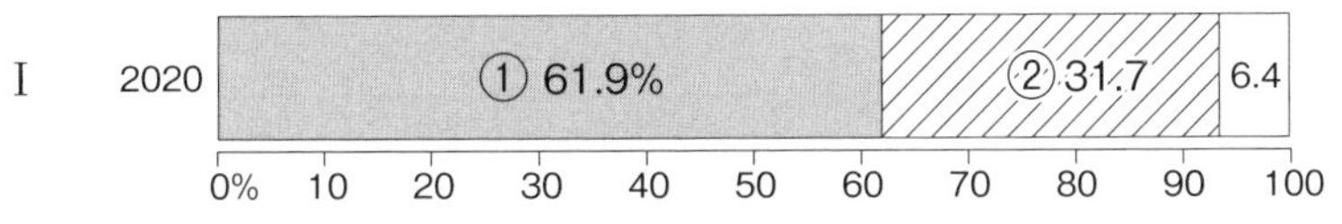

一般会計歳出の主要経費別割合（会計年度）

Ⅱ
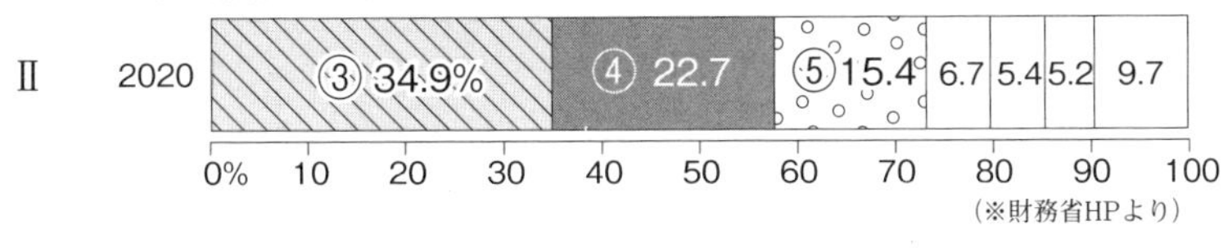

（※財務省HPより）

ア　公債金
イ　国債費
ウ　租税・印紙収入
エ　社会保障関係費
オ　公共事業関係費
カ　地方交付税交付金等

問6　下線部④について、2019年にアイヌ新法が成立しました。それに関連して、次の各問いに答えなさい。

(1)　アイヌ新法は、アイヌ民族を「(　　　)民族」と初めて明記したもので、アイヌの人々の民族としてのほこりが尊重される社会の実現を目的にかかげています。(　　)にあてはまる語句を漢字で答えなさい。

(2)　2020年7月、北海道白老町に民族共生象徴空間(アイヌ文化を復興・発展させるための空間や施設)が開業しました。この博物館の愛称を何といいますか。カタカナで答えなさい。

予想問題　社会総合(3)

〔都知事選と地方政治〕

地方自治に関する次の文章を読んで、あとの問いに答えなさい。

地方公共団体のおもな機関は、地方議会と首長です。地方議会は、住民から選挙された任期[A]年の議員によって構成されています。地方議会は、住民の意思を尊重して、①条例の制定や改正・廃止などを行います。

地方議会が定めた方針にしたがって、地方行政の実際の②仕事をするのが町村役場・③市役所・都道府県庁です。これらの役所の長(首長)が④市(区)町村長・⑤都道府県知事です。首長は住民の直接選挙によって選ばれ、任期は[A]年です。

日本国憲法では、地方公共団体を単位とする⑥地方自治が保障されています。地方自治は、住民の住民による、住民のための政治です。そこで、地方自治は⑦住民が、住民の代表として首長や議員を選んだりするほか、さまざまな⑧直接請求権や住民投票が認められています。このほかにも、⑨地方公共団体の行政が適正に行われているかどうかを監視する制度が設けられている地方公共団体もあります。

地方公共団体が、地域の独自性をふまえて活動するためには、それを可能にする財源が必要です。ところが、実際には、自由に使える財源がとぼしく[B]と[C]という国からの支援にたよっているのが現状です。[B]は⑩地方公共団体が自由に使えるお金ですが、[C]は使い道が国によって決められています。日本の経済がきびしくなっており、⑪国だけでなく地方の財政も悪化しています。このためほとんどの地方公共団体が財政難です。人口の減少や高齢化が進む中、地方の財政をどう立て直すか、日本は大きな課題をかかえています。

問１　[A]にあてはまる数字を答えなさい。

問２　[B]・[C]にあてはまる語句を、それぞれ漢字で答えなさい。

問３　下線部①について、神奈川のある市が全国で初めて「特定の民族への差別や排除をあおる言動」に対して罰則を科す条例を定めました。このことについて、次の各問に答えなさい。

(1)　「特定の民族への差別や排除をあおる言動」を何といいますか。カタカナで答えなさい。

(2)　この条例を定めた市を次のア～エから選び、記号で答えなさい。

ア　横浜市　　　イ　川崎市　　　ウ　相模原市　　　エ　鎌倉市

問４　下線部②について、次の各問いに答えなさい。

(1)　地方公共団体の仕事にあてはまらないものを次のア～エから選び、記号で答えなさい。ただしすべてあてはまるときはオと答えなさい。

ア 警察 イ 消防 ウ 国会議員を選出するための選挙の事務
エ 病院・保健所の設立・運営

(2) 行政ではきめ細かな対応が難しい仕事は、営利を目的としない民間の団体・組織がになうことがあります。このような公共の利益のために自発的に活動する団体や組織を何といいますか。

問5 下線部③について、市役所や東京都の区役所の地図記号を書きなさい。

問6 下線部④の被選挙権の年齢を答えなさい。

問7 下線部⑤について、次の各問いに答えなさい。

(1) 2020年7月に東京都知事の選挙が行われました。都知事の被選挙権の年齢を答えなさい。

(2) 日本で実施されている地方政治の選挙として行われていない投票を次のア～エから選び、記号で答えなさい(2020年8月現在)。

ア 不在者投票 イ 期日前投票 ウ 点字投票 エ インターネット投票

問8 下線部⑥について、「地方自治は民主主義の学校」とよばれていますが、これはどのような意味ですか。

問9 下線部⑦のように、住民が首長と議員を直接選挙で選ぶ制度を何といいますか。

問10 下線部⑧について、次の各問いに答えなさい。

(1) 住民には、条例の制定や改廃を求める権利があります。有権者数が40万人以下の自治体でこの権利を使うためには、有権者の(　　)分の1以上の署名数が必要です。(　　)にあてはまる数字を答えなさい。

(2) 住民は、首長や議員、副知事などを、任期が終わる前にやめさせるように求めることができます。このことを何といいますか。

(3) 有権者数が40万人以下の自治体で(2)や議会の解散を求めるためには、有権者の(　　)分の1以上の署名数が必要です。(　　)にあてはまる数字を答えなさい。

問11 下線部⑨のような制度を何といいますか。

問12 下線部⑩を受けとらずに財政運営できる都道府県は現在全国で一つしかありません。その都道府県名を漢字で答えなさい。

問13 下線部⑪が地方公共団体に、政治の権限や財源を移し、地方のことは地方が決められるようにすることを何といいますか。漢字4字で答えなさい。

予想問題　社会総合(4)

〔世界遺産〕

次の表は、日本の世界遺産を文化遺産と自然遺産に分けて登録年順にまとめたものです。世界遺産について、あとの問いに答えなさい。

世　界　遺　産　（　登録年　位置する都道府県　）	
＜文化遺産＞	
A	法隆寺地域の仏教建造物　（　1993年　　奈良県　）
B	姫路城　（　1993年　[1]　）
C	古都京都の文化財　（　1994年　京都府・滋賀県　）※京都市、①宇治市、大津市
D	②白川郷・五箇山の（　　　）集落　（　1995年　岐阜県・富山県　）
E	原爆ドーム　（　1996年　広島県　）
F	③厳島神社　（　1996年　広島県　）
G	④古都奈良の文化財　（　1998年　奈良県　）
H	⑤日光の社寺　（　1999年　栃木県　）
I	琉球王国の⑥グスク及び関連遺産群　（　2000年　沖縄県　）
J	紀伊山地の霊場と参詣道　（　2004年　和歌山県・奈良県・三重県　）
K	石見（　⑦　）遺跡とその文化的景観　（　2007年　[2]　）
L	⑧平泉　（　2011年　岩手県　）
M	⑨富士山　（　2013年　静岡県・[3]　）
N	⑩富岡製糸場と絹産業遺産群　（　2014年　群馬県　）
O	明治日本の産業革命遺産　（　2015年　8県（県名省略）　）
P	ル・コルビュジェの建築作品　（　2016年　東京都　）
Q	「神宿る島」宗像・沖ノ島と関連遺産群　（　2017年　[4]　）
R	長崎と天草地方の潜伏キリシタン関連遺産　（　2018年　長崎県・[5]　）
S	百舌鳥・古市古墳群　（　2019年　[6]　）
＜自然遺産＞	
T	屋久島　（　1993年　鹿児島県　）
U	白神山地　（　1993年　秋田県・[7]　）
V	⑪知床　（　2005年　北海道　）
W	小笠原諸島　（　2011年　東京都　）

問1　世界遺産の登録を行っている国際連合の専門機関の略称をカタカナで答えなさい。

問2　[1]～[7]にあてはまる都道府県名を漢字で答えなさい。

問3　次のⅠ～Ⅴに最も関係の深い世界遺産を表のA～Wから選び、それぞれ記号で答えなさい。

Ⅰ　洋上アルプス　　Ⅱ　海の正倉院　　Ⅲ　東洋のガラパゴス

Ⅳ　負の遺産　　Ⅴ　ブナの原生林

問4　下線部①にある建造物を次のア～エから選び、記号で答えなさい。
ア　金閣　　イ　銀閣　　ウ　延暦寺　　エ　平等院

問5　下線部②について、次の各問いに答えなさい。
(1) (　　) にあてはまる家屋のつくりを答えなさい。
(2) これらの集落では観光客の増加によって、ごみの持ちこみや住民の庭に観光客が立ち入るなどの問題が発生しています。このような問題を何といいますか。カタカナで答えなさい。

問6　下線部③の読みをひらがなで答えなさい。また、この神社は航海の守り神として、ある人物の信仰を受けて現在の形に修造されました。ある人物名を答えなさい。

問7　下線部④は奈良を代表する８つの資産から構成されていて、これらの１つに唐招提寺があります。唐招提寺を建てた人物名を答えなさい。

問8　下線部⑤について、日光の東照宮にまつられている人物名を答えなさい。また、東照宮を建て直し、大名を連れて参拝をくり返すことで、幕府の力をみせつけた人物名を答えなさい。

問9　下線部⑥の意味を漢字で答えなさい。

問10　(　⑦　) にあてはまるものを次のア～ウから選び、記号で答えなさい。
ア　金山　　イ　銀山　　ウ　銅山

問11　下線部⑧について、平泉をおとずれた松尾芭蕉が「五月雨の　降り残してや　光堂」と呼んだ建造物の名前を答えなさい。

問12　下線部⑨について、富士山を各地からながめた「富嶽三十六景」という浮世絵(風景画)を描いた人物名を答えなさい。

問13　下線部⑩について、富岡製糸場がつくられた時代に欧米の制度や学問・技術を取り入れるため政府が招いた外国人を何といいますか。

問14　下線部⑪について、知床では植物を踏(ふ)み荒(あら)さないようにするため木道を設けるなど、生態系の保全と観光の両立をめざしています。このような観光のあり方を何といいますか。

問15　ある国では、キリスト教とイスラム教の文化が共存する世界遺産のアヤソフィアを、博物館からイスラム教の礼拝所(モスク)に変えたため問題になっています。この建造物がある国はどこですか。国名を答えなさい。

予想問題 社会総合(5)

〔日本の経済〕

日本の経済に関する次の文章を読んで、あとの問いに答えなさい。

新型コロナウイルスの感染拡大によって、日本や世界の経済が深刻な打撃を受けています。日本の経済についていえば、2020年４～６月期の①国内総生産は、物価の変動を除いて実質で前期比7.8％の減少です。このような状態が１年続くとすれば、年率27.8％減となります。これは［ A ］後の2009年１～３月期の年率17.8％減を上回る戦後最悪の下落です。そこで、2020年は戦後75年の節目の年でもあるので、戦後の日本の経済をふりかえってみましょう。

第二次世界大戦で日本の経済は壊滅的な打撃を受けました。これが立ち直るきっかけとなったのが、1950年におこった［ B ］です。日本はアメリカ軍からの注文を受けて、軍事物資を生産し好景気となりました。②この好景気によって日本経済は、戦前の水準まで回復しました。そして1950年代後半から1970年代のはじめまで、年平均10％前後の経済成長率で高度経済成長をとげました。この時期、工業生産は急速に増大し人々の賃金も上がりましたが、③物価も上がり続けました。しかし、その一方で④公害問題が多発し、都市部への人口集中のため⑤過疎・過密問題などが深刻になりました。
1973年の［ C ］をきっかけに、低成長の時代に入りました。日本は安い⑥石油を大量に使用してきた産業のしくみを転換せざるを得なくなりました。

1980年代になると、日本は安定成長のもと、1983年に世界最大の貿易黒字国となりました。逆にアメリカの貿易赤字は巨額となりました。日本を含めた先進５カ国は、1985年、協調して為替の安定をはかりました。これにより急速に円高となり、原則として［ D ］が不利になりました。製造業は工場を海外へ移すようになり、国内では産業の［ E ］化がおこりました。また、国内では、企業が土地や株式に資金をつぎこんだため、⑦土地や株式の価格がかつてないほど異常に上昇しました。しかし、1990年代に入ると、地価や株価は下落し、多くの企業や銀行などが倒産し、10年におよぶ不景気にみまわれました。経営が悪化した企業はこれまでの生産や販売の見直し、大規模な人員削減などを行いました。その結果、2002年以降、製造業を中心に景気が回復しましたが、2008年におきた世界的な金融危機の影響などによって、多くの企業の経営が悪化してしまいました。2011年には東日本大震災が発生し、約２万人の死者、行方不明者が出て経済的にも大きな損害が出ました。震災の復興がまだかなわないうちに、コロナ禍です。復興五輪と位置づけた東京オリンピック・［ F ］は、１年延期となったもののコロナ禍が続いた場合、実施できるのかあやぶまれています。もし中止となれば、大きな経済的な損失が生じることでしょう。まさに「泣き面に蜂」です。このためもあって、日本の経済の不況が長期化するのではないかという見方があります。

問１　［ A ］・［ C ］にあてはまる語句を次のア～エから選び、それぞれ記号で答えなさい。

ア　ニクソン・ショック　　イ　オイル・ショック

ウ　ドル・ショック　　エ　リーマン・ショック

問2　[B]にあてはまる戦争名を答えなさい。

問3　[D]にあてはまる語句を次のア・イから選び、記号で答えなさい。
ア　輸入　　　イ　輸出

問4　[E]にあてはまる語句を漢字２字で答えなさい。

問5　[F]にあてはまる語句を答えなさい。

問6　下線部①の略称をアルファベットで答えなさい。また、2020年に新型コロナウイルスの感染拡大によって下線部①が急激に下落した主な理由を二つ答えなさい。

問7　下線部②の好景気を何といいますか。

問8　下線部③の経済現象をカタカナで何といいますか。

問9　下線部④について、四大公害の原因のうち三つは水質汚濁で、一つは大気汚染です。大気汚染が原因の四大公害病の名前を答えなさい。

問10　下線部⑤について、次の三つの円グラフは、全国に占める過疎地域の面積・人口・市町村数のうちいずれかを示したものです。その組み合わせとして正しいものをあとのア～カから選び、記号で答えなさい。

全国に占める過疎地域の割合（2019年4月1日現在）

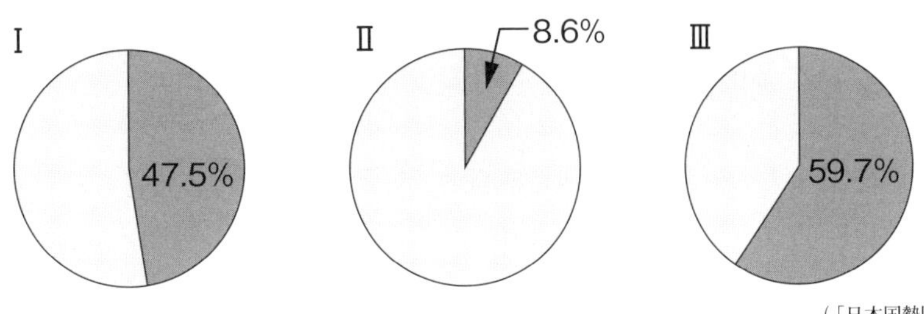

（「日本国勢図会 2020/21」より）

ア　Ⅰ　人口　Ⅱ　面積　Ⅲ　市町村数　　イ　Ⅰ　市町村数　Ⅱ　人口　Ⅲ　面積
ウ　Ⅰ　面積　Ⅱ　人口　Ⅲ　市町村数　　エ　Ⅰ　市町村数　Ⅱ　面積　Ⅲ　人口
オ　Ⅰ　面積　Ⅱ　市町村数　Ⅲ　人口　　カ　Ⅰ　人口　Ⅱ　市町村数　Ⅲ　面積

問11　下線部⑥について、エネルギーとして石油の前は主に何が使用されていましたか。

問12　下線部⑦のような経済を何といいますか。

予想問題　社会総合(6)

〔海外の動き〕

次のA～Dはある国を示しています。その国について説明した各文章を読んで、あとの問いに答えなさい。

A　この国は2020年1月に①ＥＵから離脱し、現在はＥＵとの将来の関係について交渉を行っています。この国の貿易は、輸出入ともにＥＵが全体の約50％を占めています。ＥＵ国間の貿易は［Ⅰ］がかかりませんが、ＥＵと新たな自由貿易協定で合意できなければ、ＥＵとの貿易で［Ⅰ］が復活することになります。

B　この国は2020年11月に②大統領選挙をひかえています。トランプ大統領が再選されるか、注目されるところですが、トランプ氏が大統領になってから、この国は③さまざまな国際的な団体や組織、取り決めなどから離脱しています。直近では新型コロナウイルスの対策にあたっている世界保健機関が「中国の操り人形」だとして脱退を表明しています。これに対し、［Ⅱ］のメルケル首相は、「どの国も一国では、この問題(新型コロナウイルスの問題)を解決できない」と、結束の重要性を訴えています。なお、トランプ大統領の仲介で、イスラエルと④アラブ首長国連邦との間で国交樹立が合意されましたが、大統領の選挙対策との見方が一般的です。

C　この国と［B］とは政治や経済、新型コロナウイルスなどさまざまな問題で⑤対立しています。また、この国は特に現在の政権になってから周辺の国々との対立が多くなっています。⑥日本とも領土問題をかかえていますが、日本にとっては最大の貿易相手国です。現政権にとって大きな悩みの種は、「香港問題」です。現政権は香港に対する統制を強化するため香港［Ⅲ］法を定め、6月30日に施行しました。香港の独立を主張することなどを違法とするため、香港で自由な発言ができなくなり、⑦一国二制度があやぶまれています。

D　この国と日本との貿易はたいへん活発で、日本にとっては3番目の貿易相手国です。しかし、現在の政権になってからは、徴用工訴訟や従軍慰安婦などの問題で対立し、⑧1965年の国交正常化以降、最悪の事態となっています。日本とこの国との交流は、歴史的には友好的な関係にあった時期が長く、おたがいに学びあってきました。この国では、映画や音楽、本などを通して日本の文化が親しまれています。日本でも、多くの人々がこの国のテレビドラマや映画を楽しんでいます。

問1　［Ⅰ］にあてはまる語句を漢字で答えなさい。

問2　［Ⅱ］にあてはまる国名を答えなさい。

問3 Ⅲ にあてはまる語句を漢字6字で答えなさい。

問4 下線部①について、次の各問いに答えなさい。

(1) ＥＵの共通通貨をカタカナで答えなさい。

(2) A がＥＵから離脱した主な理由は「ＥＵのルールにしばられるのではなく、自国のことは自分たちで決めたい」「ＥＵ諸国から入ってくる(1)・(2)に仕事がうばわれるのでこれ以上受け入れたくない」といったものです。(1)・(2)にあてはまる語句をそれぞれ答えなさい。

問5 下線部②について、次の各問いに答えなさい。

(1) B の大統領の任期は何年ですか。

(2) B の大統領(2020年9月現在)の対立候補は、何党の何という人物ですか。党名と候補者名をそれぞれ答えなさい。

問6 下線部③について、B が離脱した国際的な組織、取り決めにあてはまらないものを次のア〜エから選び、記号で答えなさい(2020年8月現在)。

ア パリ協定　イ イラン核合意　ウ ＩＮＦ全廃条約　エ 世界貿易機関

問7 下線部④から日本が最も多く輸入している品目を答えなさい。

問8 下線部⑤の対立を(　　)と呼ぶ人もいます。(　　)にあてはまる語句を漢字3字で答えなさい。

問9 下線部⑥に最も関係の深い島を次のア〜エから選び、記号で答えなさい。

ア 竹島　イ 沖ノ鳥島　ウ 択捉島　エ 尖閣諸島

問10 下線部⑦は「一つの国に、二つの制度」の略称で、二つの制度とは社会主義と資本主義を意味します。もともとは C が(　　)との統一を実現するために、1978年にかかげられた方針です。(　　)にあてはまる語句を漢字2字で答えなさい。

問11 下線部⑧について、D との国交正常化を実現した条約名を答えなさい。

問12 次の(1)・(2)の品目は、日本が A 〜 D のいずれかの国から輸入している品目の上位5つとその割合を示したものです(2019年)。あてはまる国を A 〜 D から選び、それぞれアルファベットで答えなさい。

(1) 機械類 47.0%　衣類 9.7%　金属製品 3.7%　家具 2.5%　がん具 2.1%

(2) 機械類 30.9%　医薬品 18.1%　自動車 16.7%　ウイスキー 3.9%　科学光学機器 3.7%

(「日本国勢図会 2020/21」より)

予想問題　社会総合（7）

〔感染症の歴史〕

感染症の歴史に関する次の文章を読んで、あとの問いに答えなさい。

日本列島の感染症の歴史は、①縄文時代までさかのぼることができます。縄文人の骨からポリオ（いわゆる小児マヒ）をわずらった骨が発見されています。弥生時代や②古墳時代になると結核の痕のある人骨が出土しています。結核は縄文時代の遺跡からは、その痕跡のある人骨は発見されていません。このため結核は、弥生時代に大陸から日本列島にもたらされたと考えられています。平安時代には「胸の病」（一部は心臓病も含まれていますが、多くは結核）と呼ばれ、③『枕草子』や『源氏物語』にも登場します。江戸時代には、浮世草子の作家である［　A　］の『好色一代女』には「ろうさい」という名称で出てきます。明治時代になると「肺病」が用いられるようになります。結核が社会問題となるのは明治時代以降のことです。

720年に成立したとされる『［　B　］』によれば、6世紀後半、国内で疫病（感染症）が流行したことが記録されています。この疫病は中国で発生し、朝鮮半島から日本に入ってきたといわれています。730年代には大地震や凶作、天然痘（とう）の大流行がおこり、人口が減少していきました。特に735年から737年にかけて発生した天然痘の大流行は「［　C　］の大疫病」と呼ばれ、多数の死者が出ました。737年のときには、政界の中心にいた藤原不比等（ふひと）の４人の息子があいついで天然痘で亡くなり、藤原氏の勢力は一時おとろえてしまいました。［　D　］が国分寺建立や④東大寺の大仏造立を命じたのも、仏教の力によって天然痘の流行をおさえたり、社会の不安を取り除こうとしたためといわれています。この天然痘は、1980年に⑤世界保健機関が「人類が初めて根絶に成功した感染症」と宣言しました。

冬に集団発生することが多いインフルエンザは、９世紀半ばに近畿地方で流行したとされ、都で⑥御霊会が開かれたといわれています。インフルエンザは、「鎖国政策」をとっていた江戸時代でも、繰り返し流行していたようで、日本が鎖国中も世界とつながっていたことがわかります。約100年前、世界中で数千万人、日本では約39万人（一説には45万人）の命がうばわれた⑦「スペイン風邪」もインフルエンザです。

江戸時代には、インフルエンザのほかに「お役三病」と呼ばれた三つの感染症（天然痘・はしか・水ぼうそう）が恐れられていました。特に⑧はしか（麻疹）は「命定め」と呼ばれ、流行すると数万人が亡くなり、人々は予防や快復を願って「はしか絵」を買い求めました。

⑨こうした感染症に対する研究が、日本で本格的に行われるようになるのは明治時代以降です。

感染症を防ぐためには予防接種やワクチンの開発が効果的ですが、細菌やウイルスは人や国を選びません。それだけに世界の国々が手をたずさえて、国境をこえて情報を共有することが大切です。

問１　［　A　］にあてはまる人物名を次のア～エから選び、記号で答えなさい。

ア　松尾芭蕉　　イ　井原西鶴　　ウ　近松門左衛門　　エ　十返舎一九

問２　 B は、神話や伝承、記録などを基にした歴史書です。 B にあてはまる語句を次のア～ウから選び、記号で答えなさい。

ア　風土記　　　イ　日本書紀　　　ウ　万葉集

問３　 C にあてはまる年号を次のア～エから選び、記号で答えなさい。

ア　大化　　　イ　大宝　　　ウ　天平　　　エ　承久

問４　 D にあてはまる人物を漢字で答えなさい。

問５　下線部①について、縄文時代につくられた土製の人形で、魔よけや安産、豊かな収穫を祈るために使われたと考えられているものの名称を答えなさい。

問６　下線部②について、大規模な古墳がつくられた５世紀頃、中国や朝鮮半島から日本列島へわたってきた人たちがいました。この人たちを何といいますか。

問７　下線部③について、『枕草子』と『源氏物語』の作者をそれぞれ答えなさい。

問８　下線部④について、道路や橋、ため池などをつくって人々にしたわれ、大仏造りに協力した僧は誰ですか。

問９　下線部⑤の略称をアルファベットで答えなさい。

問10　下線部⑥は、京都の祇園祭の起源とされています。この祇園祭が中断された15世紀の出来事を答えなさい。

問11　下線部⑦は、ある戦争の終結を早めたといわれています。その戦争名を答えなさい。

問12　下線部⑧について、はしかが流行すると、医者や薬屋がはんじょうしましたが、銭湯(ふろや)や芝居小屋はもうからなくなりました。なぜもうからなくなったのか、両者に共通することを考えて、その理由を説明しなさい。

問13　下線部⑨について、次の⑴～⑶の人物に関係の深いものをあとの語群ア～オからすべて選び、それぞれ記号で答えなさい。

⑴ 北里柴三郎　　　⑵　志賀潔　　　⑶　野口英世

<語群>

ア　黄熱病の研究　　　イ　赤痢菌の発見　　　ウ　破傷風の治療法を発見

エ　2024年度からの新千円札のモデル　　　オ　ドイツでロベルト・コッホの下で細菌学を研究

予想問題　社会総合(8)

〔環境・エネルギー問題〕

環境・エネルギーに関する次の文章を読んで、あとの問いに答えなさい。

2020年現在、この地球には［A］の人々が毎日、大量の資源や①エネルギーを利用してくらしています。今日の地球は、人間の過度な経済活動によって自然環境や生態系がこわされ、多くの人々や生物の存在がおびやかされています。まさに地球は病んでいるのです。このまま病状が悪化すれば、とりかえしのつかないことになりかねません。病状は②温暖化、オゾン層の破壊、酸性雨、森林の減少、大気汚染、③海洋汚染、④野生生物の絶滅などさまざまです。

この地球環境問題はいろいろな問題が複雑にからみ合って発生したものが多く、影響も多面的です。そこで国際連合を中心に、各国政府や国際的に活動している民間の組織・団体(NGO)などが協力して、さまざまな取り組みが行われています。

1972年、スウェーデンのストックホルムで⑤国連人間環境会議が開かれ、［B］が採択され、環境を重視する国際的な取り組みがスタートしました。1992年には、ブラジルのリオデジャネイロで国連環境開発会議(地球サミット)が開かれ、⑥21世紀に向けた行動や温暖化対策として気候変動枠組条約などが結ばれました。1997年に日本で開かれた温暖化防止の会議では、先進国に二酸化炭素などの温室効果ガスを減らすことを義務づける［C］が採択されました。しかし、近年、発展がめざましく進んでいる新興国には削減の義務がなく、削減の効果は限定的でした。2015年には、⑦パリ協定が採択され、温室効果ガスの削減に取り組んでいます。同年には、国連の総会で、「［D］に関するサミット」が開かれ、17の「［D］目標(［E］)」が採択されました。17の目標を実現するために、自分たちにできることを考えてみましょう。

問１　［A］にあてはまるものを次のア〜エから選び、記号で答えなさい。

ア　約47億人　　イ　約57億人　　ウ　約67億人　　エ　約77億人

問２　［B］にあてはまる語句を漢字で答えなさい。

問３　［C］にあてはまる語句を漢字で答えなさい。

問４　［D］にあてはまる言葉を７文字で答えなさい。

問５　［E］にあてはまる略称をアルファベットで答えなさい。

問6　下線部①について、次のグラフは日本の一次エネルギーの供給割合を示したものです。このうち、原子力発電にあてはまるものをア～オから選び、記号で答えなさい。

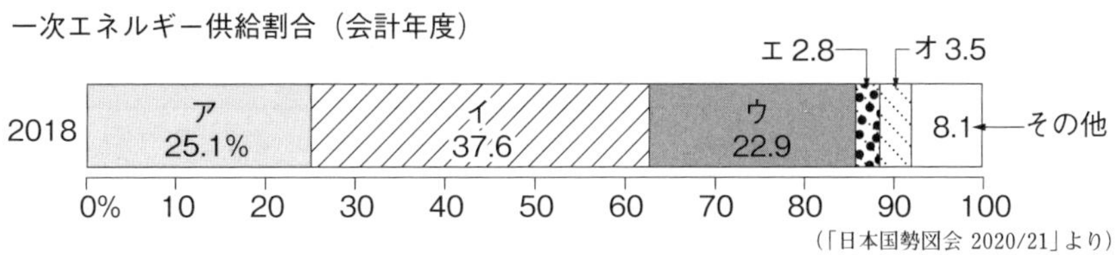

問7　下線部②について、地球の温暖化によって海面が上昇して、国土が水没するおそれがあるといわれている島国を次のア～エから選び、記号で答えなさい。

ア　フィリピン　　イ　ツバル　　ウ　スリランカ　　エ　マルタ

問8　下線部③について、次の各問いに答えなさい。

(1) 海洋汚染の原因として、プラスチックごみが世界的な問題となっています。とくにプラスチックごみが紫外線や波でくだかれてサイズが１ミリあるいは５ミリ以下になった、(　　　)プラスチックは人体にも影響を与える可能性があると心配されています。(　　)にあてはまる語句をカタカナ４字で答えなさい。

(2) 2020年７月から日本ではスーパーやコンビニなどでプラスチックごみ対策としてプラスチック製の(　　　)が有料になりました。(　　)にあてはまる語句を答えなさい。

(3) 2019年５月に改正され、プラスチックごみのような有害な廃棄物の輸出入を規制する、国際条約を何といいますか。条約名を答えなさい。

(4) 2020年７月、日本の貨物船が座礁して、燃料の重油が大量に流出する事故がおこりました。重油の流出により深刻な環境被害が発生し、回復には数十年かかるとされています。この事故がおこったインド洋にある国名を答えなさい。

問9　下線部④について、絶滅のおそれのある動植物やその製品の国際的な取り引きを規制する条約名を答えなさい。

問10　下線部⑤のスローガンを答えなさい。

問11　下線部⑥を受けて、1972年に設立された国連が取り組む環境問題の調整や調査を行う機関を答えなさい。

問12　下線部⑦について、説明した文として誤っているものを次のア～エから選び、記号で答えなさい。

ア　2020年以降の温暖化対策の国際的なルールである。

イ　先進国に対してのみ温室効果ガスを減らす義務が負わされた。

ウ　アメリカのトランプ大統領は、2017年にパリ協定からの離脱を表明した。

エ　2050年までに、世界全体で温室効果ガスの排出量を実質ゼロにすることをめざす。

予想問題　社会総合（9）

〔日本の少子高齢化〕

日本の少子高齢化に関する次の文章を読んで、あとの問いに答えなさい。

①総務省が公表した2019年の日本の人口は、②日本在留の外国人をふくめて約1億2617万人でした。65歳以上の人口は総人口の［ A ］で過去最高となり、14歳以下の人口は12.1％となり過去最低でした。14歳以下の人口は、1954年の2989万人をピークに減少し、第2次［ B ］（1971～74年）あたりにいったん増えましたが、1982年以降は減り続けています。③子どもの出生数が減り続けるいっぽうで、総人口に占める65歳以上の高齢者の割合が大きくなる少子高齢化になかなか歯止めがかかっていません。特に日本の場合、他国も経験したことのないスピードで高齢化が進行しています。政府の推計によれば、2055年には総人口の約40％が65歳以上となり、14歳以下は約8％になると予測されています。

少子高齢化に対する心配や不安の声が出ています。高齢者の生活をささえる［ C ］は、費用を負担する人の割合は減る一方で受給する人の割合が増加しており、現在のしくみをたもつことは難しくなっています。また、④高齢者の介護や医療などにかかる政府の費用（社会保険費）の問題や、働く人が減って産業がおとろえ、活気のない社会になってしまうのではないかという心配もあります。

その一方で、これまでにない新しい産業が生み出されるという期待もあります。さらには、女性や高齢者、外国人労働者の働く機会がいっそう増えることも期待されています。

ゆとりのある社会を築いていくためには、これまでの⑤働き方をあらためる工夫や、地域の人たちとのコミュニティづくりも大切です。

仕事と育児や介護を両立できる環境がととのった社会、⑥女性も男性も若者も高齢者も外国人も、多様な生き方を選んで活躍できる社会の実現が強く求められています。

問1　［ A ］にあてはまるものを次のア～エから選び、記号で答えなさい。

ア　8.4％　　イ　18.4％　　ウ　28.4％　　エ　38.4％

問2　［ B ］にあてはまる語句をカタカナで答えなさい。

問3　［ C ］にあてはまる語句を漢字2字で答えなさい。

問4　下線部①の仕事として適切でないものを次のア～オから選び、記号で答えなさい。

ア　地方自治　　イ　選挙・消防　　ウ　情報・通信

エ　ふるさと納税　　オ　交通・観光

問5 下線部②の割合(2019年末現在)を示した次のグラフ中の①〜③にあてはまる国の組み合わせとして正しいものをあとのア〜エから選び、記号で答えなさい。

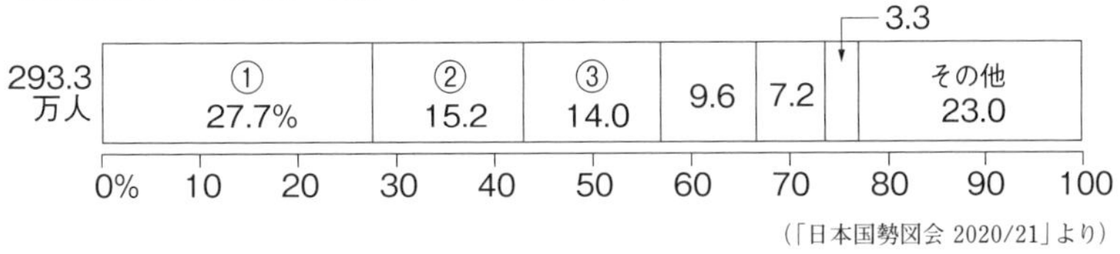

ア ①：中国 ②：韓国 ③：ベトナム　　イ ①：中国 ②：韓国 ③：フィリピン
ウ ①：韓国 ②：中国 ③：ベトナム　　エ ①：韓国 ②：中国 ③：フィリピン

問6 下線部③について、1人の女性が一生の間に産む子どもの数の平均のことを何といいますか。また、人口を維持するために必要なこの数値として、最も近いものはどれですか。次のア〜エから選び、記号で答えなさい。

ア 1.47　　イ 1.77　　ウ 2.07　　エ 2.37

問7 下線部④について、次の各問いに答えなさい。

(1) 社会保障は、日本国憲法第25条にもとづいて設けられています。第25条について、次の(　　)にあてはまる文を答えなさい。

すべて国民は、(　　　　　　　)を営む権利を有する。

(2) 介護が必要とされる高齢者が介護のサービスを受けられる介護保険の保険料は、何歳以上の人が納めることになっていますか。次のア〜エから選び、記号で答えなさい。

ア 18歳以上　　イ 20歳以上　　ウ 30歳以上　　エ 40歳以上

問8 下線部⑤について、次の各問いに答えなさい。

(1) 仕事と生活の調和をとる働き方を何といいますか。カタカナで答えなさい。

(2) 自宅で子育てをしながら仕事をしたり、介護の合間に仕事をするように、仕事と生活をいっしょにする働き方を何といいますか。カタカナで答えなさい。

問9 下線部⑥について、職場での男女の待遇の平等をめざして1985年に定められた法律を答えなさい。

予想問題　社会総合(10)

〔周年問題〕

2020年が節目となるおもな出来事をまとめた次の年表を見て、あとの問いに答えなさい。

西暦	出　来　事
1590年	・［A］、小田原の北条氏を倒す（全国統一）
1600年	・①関ヶ原の戦いがおこる
1840年	・アヘン戦争がおこる
1860年	・桜田門外の変で、大老［B］が暗殺される
1890年	・②第１回帝国議会が開かれる
1910年	・③韓国併合が行われる
1920年	・国際連盟が設立される
1930年	・ロンドン軍縮会議が開かれる
1940年	・［X］三国同盟が成立する　・大政翼賛会が成立する ・［1］がオリンピック大会を返上する
1945年	・④日本、ポツダム宣言を受け入れ降伏（第二次世界大戦の終結）　・国際連合が設立される
1950年	・⑤朝鮮戦争が始まる（～53年休戦）　・［Y］が設けられる
1960年	・日米安全保障条約改定反対の安保闘争がおこる　・新安保条約が調印される ・岸信介内閣、総辞職する　・［C］内閣、所得倍増計画を発表する ・石油輸出国機構（OPEC）が結成される
1970年	・［2］で日本万国博覧会が開かれる
1980年	・イラン・イラク戦争がおこる　・世界保健機関が天然痘の撲滅を宣言する ・釧路湿原、［Z］に登録される
1990年	・東西ドイツが統一される　・イラクがクウェートに侵攻する
2000年	・九州・沖縄サミットが開かれる　・介護保険制度がスタートする ・南北首脳会談が開かれ、南北共同宣言が発表される
2010年	・小惑星探査機「はやぶさ」７年ぶりに地球に帰還する ・平成の大合併が終わる（市町村数が半減） ・日米両政府が［3］基地の移転先を名護市［4］沖にする共同声明を発表 ・生物多様性条約第10回締約国会議（COP10）で［5］議定書が採択される ・東北新幹線、新青森まで全線開通する

問１　［A］・［B］にあてはまる人物名をそれぞれ漢字で答えなさい。

問２　［C］にあてはまる人物名を次のア～エから選び、記号で答えなさい。

ア　池田勇人　　イ　鳩山一郎　　ウ　佐藤栄作　　エ　田中角栄

問3 [X]にあてはまらない国を次のア～エから選び、記号で答えなさい。
ア ドイツ　イ イタリア　ウ イギリス　エ 日本

問4 [1]～[5]にあてはまる地名を次のア～キから選び、それぞれ記号で答えなさい。
ア 東京　イ 大阪　ウ 京都　エ 名古屋　オ 那覇　カ 辺野古　キ 普天間

問5 [Y]にあてはまるＧＨＱ（連合国軍最高司令官総司令部）の命令で設けられた自衛隊の前身となる組織を答えなさい。

問6 [Z]にあてはまる条約を次のア～エから選び、記号で答えなさい。
ア バーゼル条約　イ ワシントン条約　ウ ラムサール条約　エ 世界遺産条約

問7 下線部①は現在の何県にありますか。県名を漢字で答えなさい。

問8 下線部②について、帝国議会は衆議院と貴族院の二院制です。貴族院の議員はどのような人で構成されていますか。

問9 下線部③について、日本は韓国を併合して植民地にしましたが、植民地支配はいつまで続きましたか。西暦を用いて年月日を答えなさい。

問10 下線部④について、ポツダム宣言は３カ国の名前で出されました。この３カ国にあてはまらない国を次のア～エから選び、記号で答えなさい。
ア アメリカ　イ イギリス　ウ ソ連　エ 中国

問11 下線部⑤について、朝鮮戦争が始まった翌年、日本は48カ国の資本主義諸国などとの間に条約を結び、独立を回復しました。この条約名を答えなさい。

予想問題　理科総合（1）

〔異常気象・自然災害〕

次の文章を読んで、あとの問いに答えなさい。

> 2019年の冬は全国的に記録的な［ A ］でした。2020年の春は全国的に気温は高めで日照時間も多めでした。
>
> ①夏の天候ですが、梅雨明けが遅く、関東地方で梅雨が明けたのは８月に入ってからです。７月は、活発な［ B ］前線の影響で、日本各地で②長期間にわたって豪雨をもたらしました。この豪雨では、［ C ］が九州地方で多数発生したため大雨が続き、洪水や土砂災害などの被害が出ました。
>
> ８月に入ると③猛暑が続き、④熱中症による被害が続出しました。８月17日には、静岡県浜松市で国内最高気温の41.1度を記録。2018年に［ D ］で観測した最高気温と並ぶ暑さでした。
>
> ９月になると、⑤台風10号が発生し、大型で非常に強い勢力で沖縄・九州地方に接近し、暴風、大雨、高波、［ E ］をもたらしました。
>
> 2020年夏までは⑥地震による大きな被害はなかったものの、震度５（弱・強）を記録する地震はたびたび発生しています。また、⑦火山活動も依然として活発で、今後もこうした自然災害へ防災意識を高め、備えを万全にしておくことが大切です。

問１　［ A ］～［ E ］にあてはまる語句を次の【語群】ア～シから選び、それぞれ記号で答えなさい。

【語群】

ア　大雪	イ　暖冬	ウ　寒冬
エ　梅雨	オ　寒冷	カ　温暖
キ　線状降水帯	ク　竜巻	ケ　高知県・四万十市
コ　埼玉県・熊谷市	サ　津波	シ　高潮

問２　下線部①について、６月から７月にかけて日本付近には前線が停滞します。停滞前線の天気記号を表しているものを次のア～エから選び、記号で答えなさい。

ア　　イ　　ウ　　エ

問３　下線部②について、気象庁が命名した７月に降った大雨の名称を答えなさい。また、この名称の対象となった期間は2020年７月３日から、いつまでとされていますか。

問４　下線部③について、猛暑日とは１日の最高気温が何度以上の日のことをいいますか。

問5　下線部④について、危険な暑さが予想される場合に、気象庁と環境省は、2020年度に関東甲信地方において、熱中症(　　　)を発令する取り組みを開始しました。(　　　)にあてはまる語句を次のア～ウから選び、記号で答えなさい。

ア　警戒アラート　　イ　特別警報　　ウ　特別アラーム

問6　下線部⑤について、次の各問いに答えなさい。

(1)　北半球での台風の地上付近の風向きを表している図を次のア～エから選び、記号で答えなさい。

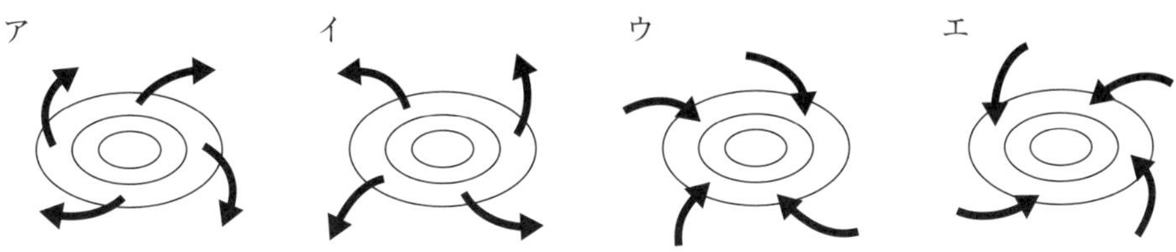

(2)　台風の目(雲のうず巻きの中心部)の一般的な特徴を説明したものとして最も適しているものを次のア～エから選び、記号で答えなさい。

ア　雨や風が弱まることが多い。　　イ　雨はやみ、風は最も強まることが多い。
ウ　暴風になり、大雨になることが多い。　　エ　竜巻が発生することが多い。

問7　下線部⑥について、次の各問いに答えなさい。

(1)　地震が発生したときに示される「震度」と「マグニチュード」は、どのようなものですか。その説明として正しいものを次のア～オから選び、記号で答えなさい。

ア　震源地までの距離　　イ　ある地点での地震のゆれの大きさ
ウ　地震のエネルギーの大きさ　　エ　地震の被害の規模
オ　地震のゆれが伝わるまでの時間

(2)　右のグラフは、ある地点の地震計の記録を示したものです。㋐で示される初めに伝わる小さな地震波を何といいますか。アルファベットを使って答えなさい。

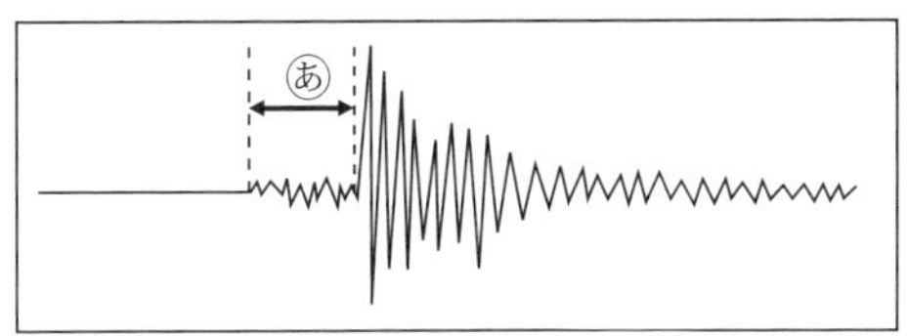

(3)　緊急地震速報は、大きなゆれが来る前に地震発生を事前に知らせるしくみです。緊急地震速報をきいてから強いゆれが来るまでの短い時間に、地震による被害を少しでもおさえるためにできることの例を答えなさい。

問8　下線部⑦について、海底火山の噴火で活発な火山活動が続いている小笠原諸島にある火山島を次のア～エから選び、記号で答えなさい。

ア　西之島　　イ　父島　　ウ　沖ノ鳥島　　エ　沖永良部島

予想問題　理科総合（2）

〔天文・宇宙〕

天文・宇宙に関する出来事をまとめた次の文章を読んで、あとの問いに答えなさい。

近年、惑星や小惑星の探査が盛んに行われています。2014年に地球を飛び立ち、2019年２月と７月に、めざしていた小惑星に着陸し、その表面付近の物質の採取を成功させた「①はやぶさ２」が、いよいよ2020年12月に地球へ帰還する予定です。小惑星の地表に衝突装置を使って人工的にクレーターをつくって採取したカプセルにはどんな物質が入っているのか期待が高まっています。

「はやぶさ２」は、地球へ帰還後、すぐに次の小惑星に向かうことが決まり、②新たなミッションを行うことになっています。

また、最も身近な天体である③月の探査も盛んです。2019年は人類が初めて月面に着陸した1969年から50周年という節目の年でした。

そのほかに、日本やアメリカ、EUなどが共同で行っている国際宇宙ステーション（ISS）に物資の補給を担っている日本の補給機「［　A　］」がその使命を終えたニュースもありました。

2020年６月21日には、日本で部分④日食が観測されました。

問１　下線部①について、次の各問いに答えなさい。

（1）「はやぶさ２」が探査に向かった小惑星を次のア～エから選び、記号で答えなさい。

ア　イトカワ　　イ　みお　　ウ　ケレス　　エ　リュウグウ

（2）「はやぶさ２」は、小惑星の砂や岩のような物質を採取するミッションを行うのに、なぜ人工的なクレーター（噴火口のようなくぼ地）をつくったのですか。その目的として適切なものを次のア～ウから選び、記号で答えなさい。

ア　地表に着陸しやすくするため。
イ　地中の水の存在を調べるため。
ウ　地中の物質を採取するため。

問２　下線部②について、「はやぶさ２」が新たに向かう予定の小惑星の名称を次のア～ウから選び、記号で答えなさい。

ア　M78　　イ　1998KY26　　ウ　2020WY

問3　下線部③について、次の各問いに答えなさい。

（1）　人類が初めて月面着陸に成功して、2019年で50周年を迎えました。そのときのアメリカの宇宙船の名前を答えなさい。

（2）　月はいつも地球に同じ面を向けているため、地球から月の裏側を見ることができません。その理由を説明したものとして正しいものを次のア～ウから選び、記号で答えなさい。

ア　月の公転が、月の自転と同じ周期だから。

イ　月の自転が、地球の自転と同じ周期だから。

ウ　地球は自転するが、月は自転しないから。

（3）　月の裏側に探査機を着陸させるのが難しい理由を答えなさい。

問4　[A] にあてはまる補給機の名前を次のア～エから選び、記号で答えなさい。

ア　はやぶさ　　イ　きぼう　　ウ　ひまわり　　エ　こうのとり

問5　下線部④について、次の各問いに答えなさい。

（1）　日食を観測すると、太陽はどの方角から月によって隠されていきますか。次のア～エから選び、記号で答えなさい。

ア　東から　　イ　西から　　ウ　南から　　エ　北から

（2）　下の図は、日食のときの太陽・月・地球の位置関係を単純化して表したもので、図中に示したア～クのいずれかの位置に月はあてはまります。日食のとき、月はどの位置にありますか。最も適当なものを選び、ア～クで答えなさい。

問6　2019年４月に日本やアメリカなどの国際研究チームがある巨大な天体の撮影に初めて成功しました。巨大な質量があり、物質だけでなく光さえも脱出できないほど強力な重力を持つこの天体を何といいますか。また、この天体の存在を今からおよそ100年前に予測していた一般相対性理論を唱えていた科学者を答えなさい。

予想問題　理科総合（3）

〔自然環境〕

次の文章を読んで、あとの問いに答えなさい。

地球上には植物や昆虫、魚、鳥、獣などの動物から微生物までさまざまな生き物がいます。生き物たちは互いにつながり合い、バランスをとりながら長い歴史の中で絶滅と進化を繰り返してきました。こうした多くの生き物たちのつながりや関わり合いを「①生物多様性」といいます。いま、この「生物多様性」がかつてないスピードで失われ、危機的な状況にあります。一度②絶滅した生き物は二度と復活することはできません。この原因には人間の活動が深く影響しています。

2015年に国連サミットで採択されたSDGs（持続可能な開発目標）の実現に向けての行動を、日本も世界の国々と協力して推進しています。

SDGsでは貧困・飢餓、教育、エネルギー、気候変動、海洋資源、平和など17のテーマが設定されています。なかでも日本は、防災、③海洋プラスチックごみ対策、気候変動対策などの分野の貢献に期待が集まっています。

問1　下線部①について、次の各問いに答えなさい。

（1）　生き物どうしの「食べる・食べられる」のつながりを何といいますか。

（2）　次の図は、「DはCに食べられ、CはBに食べられ、BはAに食べられる」という関係で、生き物の相対的な数量を形で表したものです。この図について、ある環境の変化によりDの生き物が急に減少した場合、他の生き物の数量は一時的にどのように変化しますか。次のア～エから適切なものを選び、記号で答えなさい。

ア　Cの生き物が増加し、その影響でAとBの生き物も増加する。

イ　Cの生き物が減少し、その影響でAとBの生き物も減少する。

ウ　Cの生き物が減少し、その影響でAとBの生き物は増加する。

エ　影響は全く受けずに、A～Cいずれの生き物にも変化はない。

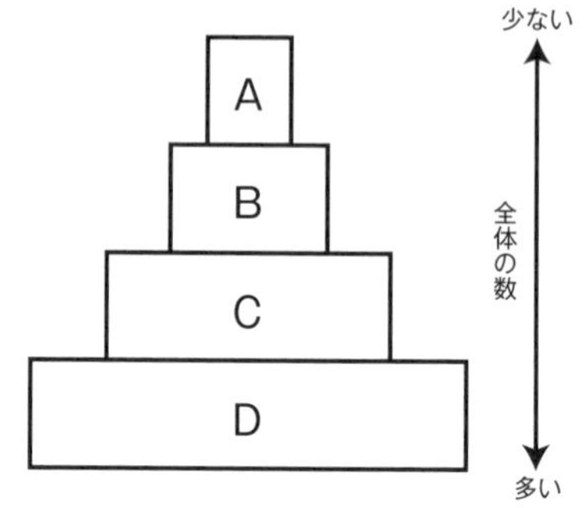

問２　下線部②について、次の各問いに答えなさい。

（1）　一度は日本で絶滅したが、中国から譲り受けて繁殖に成功した鳥を次のア～エから選び、記号で答えなさい。

ア　キジ　　イ　コウノトリ　　ウ　トキ　　エ　アホウドリ

（2）　生物の絶滅の原因の一つに、外来種があります。外来種とは外国から持ち込まれて日本にすむようになった生き物のことをいいます。次のア～ケの生き物の中から外来種をすべて選び、記号で答えなさい。

ア　アリゲーターガー　　イ　カミツキガメ　　ウ　ライチョウ
エ　ブルーギル　　オ　アライグマ　　カ　ツキノワグマ
キ　ヤンバルクイナ　　ク　マングース　　ケ　ブラックバス

（3）　外来種の被害を出さないために、私たちが注意することとして誤っていることを次のア～エから選び、記号で答えなさい。

ア　外来種を野外に捨てない。
イ　外来種を海外から日本に持ち込まない。
ウ　野外にいる外来種を他の地域に拡げない。
エ　飼育が規制されている外来種を自然に放す。

（4）　絶滅のおそれのある野生動植物の国際取引を規制する国際的な取り決めを何といいますか。

問３　下線部③について、プラスチックにはどのような性質がありますか。プラスチックの一般的な性質として誤っているものを次のア～オから選び、記号で答えなさい。

ア　くさりにくい　　イ　軽い　　ウ　加工しやすい
エ　電気を通しやすい　　オ　丈夫である

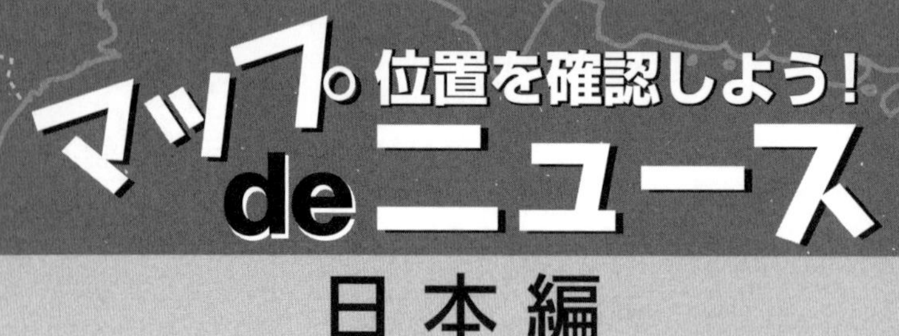

(例)福岡県

［作業］次の①～⑭の説明にあてはまる都道府県名、都市名を答え、例にならってその位置を白地図に書き入れなさい。（解答は 134 ページ）

（例）2017年7月、この県にある国内最大級の祭祀遺跡である沖ノ島と宗像大社、それに関わる古代豪族の古墳群が世界遺産に登録されました。

① 2019年に世界文化遺産に登録された「百舌鳥・古市古墳群」がある都道府県です。2019年6月に、この都市でG20サミット（主要20か国・地域首脳会議）が開かれました。

② 2020年7月、この都道府県の知事選挙で現職の小池百合子氏が圧勝。この都市で開催予定だった2020年夏季オリンピック・パラリンピックが、新型コロナウイルスの影響で、2021年夏に延期になりました。

③ 2020年7月、線状降水帯による豪雨の影響で、この県を流れる球磨川が氾濫し、甚大な被害が出ました。

④ 2020年3月、12年に及ぶ修理が完了した高松塚古墳の極彩色壁画（国宝）は、この県の明日香村にあります。

⑤ 日本にあるアメリカ軍専用施設の約7割が集中している県で、普天間飛行場の辺野古移設を巡り、国との対立が続いています。また新型コロナウイルスの蔓延によって、この県の経済を支える観光業に支障が出ています。

⑥ 2020年6月に桜島で爆発的噴火が、7月には県内全域で集中豪雨が発生しました。また、2019年には、この県の徳之島にある水中鍾乳洞「ウンブキ」で縄文時代のものと思われる土器が発見されました。

⑦ 2018年に世界文化遺産に登録された大浦天主堂はこの県にあります。この県にある雲仙・普賢岳で1990年から1995年まで続いた噴火は、「平成の大噴火」と呼ばれています。

⑧ 2019年9月、台風15号の直撃を受け、停電や断水が続いた県です。2020年1月には、この県の養老川沿いにある地磁気逆転地層が決め手となり、これまで名前のなかった約77万4千年前～12万9千年前の地質時代が、この県の名前を冠して命名されました。

⑨ 日本で新型コロナウイルスの感染者が初めて確認された2020年1月16日から半年以上、全国で最も長く「感染者ゼロ」を維持していた県です。この県には日本三大鍾乳洞の一つ、龍泉洞があります。

⑩ 2020年8月17日、埼玉県熊谷市と並び、国内最高気温となる41.1℃を記録した都市です。

⑪ 地方創生の一環として、2017年に文化庁の一部の移転が決定した都道府県。数多くの文化財を擁する日本屈指の観光地ですが、新型コロナウイルスの影響を受け、2020年2月以降、観光客が減少しています。

⑫ 神戸市と並び日本を代表する国際港湾都市です。2019年、この都市でアフリカ開発会議が行われました。

⑬ 2020年6月、火山性地震の増加にともない、この県と群馬県の境にある浅間山の噴火警戒レベルが2に引き上げられました。

⑭ 日本有数の果実生産量を誇る県で、さくらんぼ、西洋なしの生産量は全国1位です。2020年7月に発生した記録的な大雨で、この県を流れる最上川が氾濫して、流域では浸水被害や土砂災害が発生しました。

マップ。deニュース 位置を確認しよう！

世界編

[作業] 次の①～⑬の説明にあてはまる国名・地域名を答え、例にならってその位置を白地図に書き入れなさい。(解答は 135 ページ)

(例) 2018年5月、この島のキラウエア火山が噴火し、非常事態宣言が発令されました。

---

① 2020年2月、この国と②の国の貿易戦争は、貿易協議をめぐる第一段階の合意発効を受けて一時休戦に入りました。台湾問題や南シナ海の制海権問題を巡っても、両国の対立は続いています。

---

② 2020年7月に、この国は世界保健機関（WHO）からの脱退を正式に通告しました。11月にこの国では、世界が注目する大統領選挙が行われます。

---

③ 中国の特別行政区です。2020年6月、この地域での反体制的な言動を、中国政府が直接取り締まることを認める「国家安全維持法」が施行されるなど、一国二制度が揺らいでいます。

---

④ 欧州連合（EU）の本部がこの国の首都ブリュッセルにあります。また、北大西洋条約機構（NATO）の本部もこの国に置かれています。

---

⑤ アフリカ東部のインド洋に突き出た「アフリカの角」と呼ばれる地域に位置する国の一つ。2020年2月、バッタの大群が襲来している問題で、食糧難に陥る恐れがあるとして、国家非常事態を宣言しました。

⑥ 「冷戦」の象徴・ベルリンの壁崩壊を機に、冷戦下で東西に分断されていたこの国が統一されてから、2020年10月で30年が経過しました。

⑦ 2020年1月末、47年間加盟していた欧州連合（EU）から離脱した国です（欧州共同体（EU）の頃も含む）。

⑧ 2020年1月、2015年に締結した核合意を順守せず、ウランの無制限濃縮を進めると宣言した国です。

⑨ 核・ミサイルの開発を継続している国です。2020年6月、この国は、2018年の首脳会談で合意した「板門店宣言」に基づいて設けられた南北共同連絡事務所を爆破しました。

⑩ 徴用工問題や竹島の領有問題などを巡り、日本との関係がぎくしゃくしています。この国では、2020年6～8月にわたって大雨に見舞われ、水害による人的、物的被害が多発しました。

⑪ 2020年7月、現大統領の長期続投を可能とする内容を盛り込んだ憲法改正の賛否を問う国民投票が行われた国です。日本とは北方領土問題が未解決のため、戦後75年を迎えた今も平和条約が結ばれていません。

⑫ 2020年3月、アサド政権と反体制派の勢力との間で一時停戦の合意が発効された国です。この国のアサド政権は、⑪の国の支援を受けています。

⑬ 2020年1月に行われた、この地域の総統選挙では、民進党の現職・蔡英文氏が圧勝しました。

予想問題・解答

■キーワードチェック①
国内政治・経済 (P90～P91)

①新型コロナウイルス感染症 (COIV-19)
②緊急事態宣言　③パンデミック
④クラスター　⑤WHO　⑥保健所
⑦テレワーク (リモートワーク)
⑧万葉集　⑨国事行為
⑩安倍晋三(あべしんぞう)　⑪菅義偉(すがよしひで)　⑫小池百合子(ゆりこ)
⑬公職選挙法　⑭18歳
⑮現在：245 (人)　2022年：248 (人)
⑯18歳以上
⑰消費税・10%　⑱軽減税率
⑲ふるさと納税　⑳年金　㉑江東区
㉒カジノ法
㉓スポーツ庁　㉔マイナンバー制度
㉕普天間(ふてんま)飛行場

■キーワードチェック②
社会・生活・環境 (P92～P93)

①百舌鳥(もず)・古市古墳群(ふるいちこふんぐん)　②大山 (大仙) 古墳
③前方後円墳　④長崎県、熊本県
⑤正倉院(しょうそういん)　⑥無形文化遺産　⑦日本書紀
⑧レジ袋 (プラスチック製買物袋)
⑨マイクロプラスチック　⑩トラベル
⑪インバウンド　⑫合計特殊出生率(とくしゅしゅっせい)
⑬一万円札：渋沢栄一(しぶさわえいいち)
五千円札：津田梅子(つだうめこ)
千円札：北里柴三郎(きたさとしばさぶろう)
⑭38%　⑮高輪ゲートウェイ (駅)　⑯最上川
⑰ドローン　⑱待機(たいき)児童　⑲仮想通貨 (暗号資産)
⑳ヘイトスピーチ　㉑介護保険制度
㉒バリアフリー　㉓自然災害伝承碑(ひ)
㉔ワシントン条約
㉕観光庁

■キーワードチェック③
国際・外交 (P94～P95)

①国：中国
指導者：習近平(しゅうきんぺい)
②香港 (ホンコン)　③一国二制度
④国：イギリス
首相：(ボリス・) ジョンソン
⑤民主党：(ジョー・) バイデン
共和党：(ドナルド・) トランプ
⑥金正恩(キムジョンウン)
⑦国：韓国 (大韓民国)　大統領：文在寅(ムンジェイン)
⑧ユーロ　⑨ブリュッセル
⑩ (アントニオ・) グテーレス　⑪ニューヨーク
⑫国際連盟　⑬難民　⑭UNHCR
⑮FTA　⑯EPA　⑰アメリカ　⑱ホルムズ海峡(かいきょう)
⑲ベラルーシ　⑳イスラエル
㉑国際原子力機関 (IAEA)　㉒OPEC
㉓パリ協定　㉔国際司法裁判所　㉕ODA

■キーワードチェック④
理科総合 (P96～P98)

①抗体(こうたい)　②ワクチン
③はやぶさ2　④国際宇宙ステーション (ISS)
⑤ソユーズ　⑥きぼう
⑦こうのとり　⑧水星　⑨部分日食
⑩習志野(ならしの)市　⑪41.1度　⑫浜松市　⑬シベリア
⑭猛暑(もうしょ)日　⑮熱帯夜　⑯ヒートアイランド現象
⑰熱中症　⑱特別警報　⑲線状降水帯(せんじょうこうすいたい)
⑳台風15号：令和元年房総(ぼうそう)半島台風
台風19号：令和元年東日本台風
㉑活断層(かつだんそう)　㉒余震　㉓南海トラフ
㉔マグニチュード　㉕震度　㉖津波
㉗速い波：P波　遅い波：S波
㉘西之島(にしのしま)　㉙マツタケ
㉚特定外来生物　㉛ヒアリ
㉜ノーベル生理学・医学賞　㉝iPS細胞
㉞ニホニウム　㉟チバニアン　㊱人工知能 (AI)

■社会総合(1) 新型コロナウイルス感染拡大 (P100~P101)

問1 エ

問2 アメリカ

問3 緊急事態宣言

問4 9

問5 イ

問6 東京アラート

問7 トラベル

問8 東京都

問9 (1) 1:イ 2:オ

(2) 電子

問10 パンデミック

問11 クルーズ船

問12 ウ

問13 イ・ウ

問14 特別定額給付金

問15 (1) エ (2) オ (3) ア (4) ウ (5) イ

■社会総合(2) 国内政治 (P102~P103)

問1 A:150 B:衆 C:参 E:3

問2 D:エ F:ウ G:オ

問3 内閣・天皇

問4 1:国会議員 2:指名

問5 (1)ウ

(2)①ウ ②ア ③エ ④イ ⑤カ

問6 (1)先住 (2)ウポポイ

■社会総合(3) 都知事選と地方政治 (P104~P105)

問1 4

問2 B:地方交付税(交付金) C:国庫支出金

問3 (1)ヘイトスピーチ

(2)イ

問4 (1)オ (2)NPO(非営利組織)

問5 ◎

問6 25歳以上

問7 (1)30歳以上

(2)エ

問8 (例)地方の政治に参加することを通して、住民が民主主義を学ぶことができるという意味。

問9 二元代表制

問10 (1)50 (2)リコール(解職請求)

(3)3

問11 オンブズパーソン(オンブズ/オンブズマン)制度

問12 東京都

問13 地方分権

■社会総合(4) 世界遺産 (P106~P107)

問1 ユネスコ

問2 1 兵庫県 2 島根県 3 山梨県 4 福岡県

5 熊本県 6 大阪府 7 青森県

問3 Ⅰ:T Ⅱ:Q Ⅲ:W Ⅳ:E Ⅴ:U

問4 エ

問5 (1)合掌造り (2)オーバーツーリズム

問6 いつくしまじんじゃ・平清盛

問7 鑑真

問8 徳川家康・徳川家光

問9 城

問10 イ

問11 中尊寺金色堂

問12 葛飾北斎

問13 お雇い外国人

問14 エコツーリズム

問15 トルコ

■社会総合(5) 日本の経済 (P108～P109)

問1　A:エ　C:イ
問2　朝鮮戦争
問3　イ
問4　空洞
問5　パラリンピック
問6　GDP・(例)個人消費が落ちこんだから。
　　　　輸出が大きく減少したから。
問7　特需景気
問8　インフレ(インフレーション)
問9　四日市ぜんそく
問10　イ
問11　石炭
問12　バブル経済

■社会総合(6) 海外の動き (P110～P111)

問1　関税
問2　ドイツ
問3　国家安全維持
問4　(1)ユーロ
　　(2)1:移民　2:難民　(順不同)
問5　(1)4年
　　(2)民主党・(ジョー・)バイデン
問6　エ
問7　原油(石油)
問8　新冷戦
問9　エ
問10　台湾
問11　日韓基本条約
問12　(1)C　(2)A

■社会総合(7) 感染症の歴史 (P112～P113)

問1　イ
問2　イ
問3　ウ
問4　聖武天皇
問5　土偶
問6　渡来人
問7　枕草子:清少納言
　　源氏物語:紫式部
問8　行基
問9　WHO
問10　応仁の乱
問11　第一次世界大戦
問12　(例)人が集まり、感染しやすいところだったから。
問13　(1)ウ・エ・オ　(2)イ　(3)ア

■社会総合(8) 環境・エネルギー問題 (P114～P115)

問1　エ
問2　人間環境宣言
問3　京都議定書
問4　持続可能な開発
問5　SDGs
問6　エ
問7　イ
問8　(1)マイクロ
　　(2)レジ袋
　　(3)バーゼル条約
　　(4)モーリシャス
問9　ワシントン条約
問10　かけがえのない地球
問11　国連環境計画(UNEP)
問12　イ

■社会総合(9) 日本の少子高齢化 (P116～P117)

問1 ウ

問2 ベビーブーム

問3 年金

問4 オ

問5 ア

問6 合計特殊出生率・ウ

問7 (1)健康で文化的な最低限度の生活
(2)エ

問8 (1)ワーク(・)ライフ(・)バランス
(2)ワーク(・)ライフ(・)ミックス

問9 男女雇用機会均等法

■社会総合(10) 周年問題 (P118～P119)

問1 A:豊臣秀吉 B:井伊直弼

問2 ア

問3 ウ

問4 1:ア 2:イ 3:キ 4:カ 5:エ

問5 警察予備隊

問6 ウ

問7 岐阜県

問8 (例)皇族や華族、天皇から任命された議員

問9 1945年8月15日

問10 ウ

問11 サンフランシスコ平和条約

■理科総合(1) 異常気象・自然災害 (P120～P121)

問1 A:イ B:エ C:キ D:コ E:シ

問2 ウ

問3 名称:令和2年7月豪雨
期間:7月31日まで

問4 35度以上 問5 ア

問6 (1)エ (2)ア

問7 (1)震度:イ
マグニチュード:ウ
(2)P波
(3)(例)倒れやすい物から離れる。
ガスコンロの火を消す。

問8 ア

■理科総合(2) 天文・宇宙 (P122～P123)

問1 (1)エ (2)ウ

問2 イ

問3 (1)アポロ11号
(2)ア
(3)(例)地球から電波を送っても、月にさえぎられて裏側の探査機には届かないため。

問4 エ

問5 (1)イ (2)キ

問6 ブラックホール・アインシュタイン

■理科総合(3) 自然環境 (P124～P125)

問1 (1)食物連鎖 (2)イ

問2 (1)ウ (2)ア・イ・エ・オ・ク・ケ
(3)エ (4)ワシントン条約

問3 エ

マップ de ニュース・解答

■日本編

① 大阪府	② 東京都	③ 熊本県	④ 奈良県
⑤ 沖縄県	⑥ 鹿児島県	⑦ 長崎県	⑧ 千葉県
⑨ 岩手県	⑩ 浜松市	⑪ 京都府	⑫ 横浜市
⑬ 長野県	⑭ 山形県		

■世界編

《ヨーロッパの拡大図》

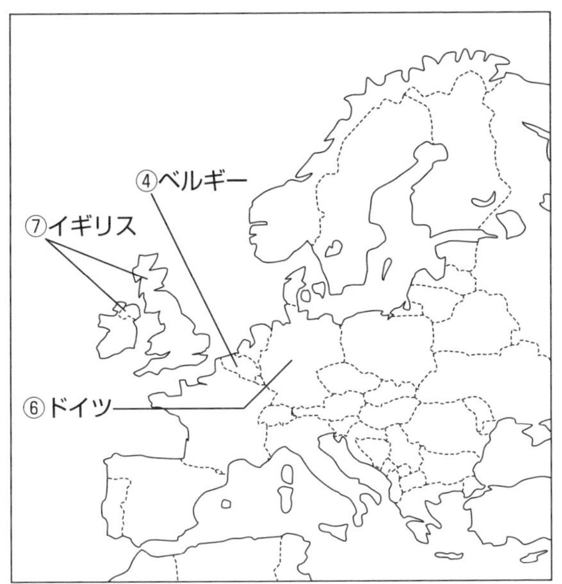

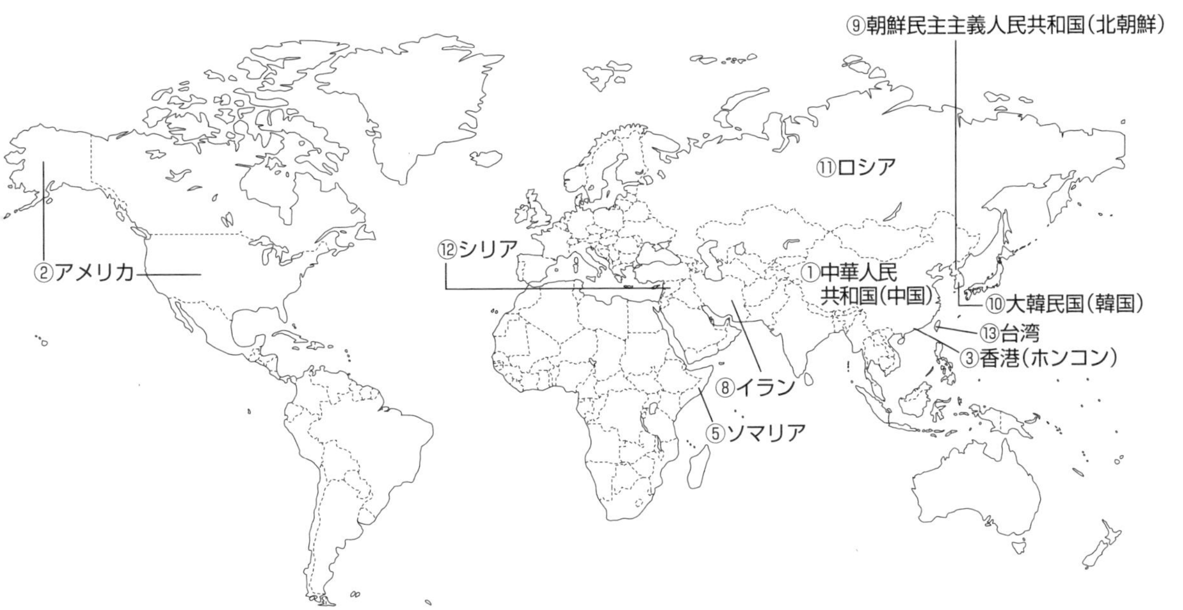

① 中華人民共和国(中国)	② アメリカ	③ 香港(ホンコン)	④ ベルギー
⑤ ソマリア	⑥ ドイツ	⑦ イギリス	⑧ イラン
⑨ 朝鮮民主主義人民共和国(北朝鮮)			
⑩ 大韓民国(韓国)	⑪ ロシア	⑫ シリア	⑬ 台湾

入試に出る！ 2020年ニュース重要語句

※関連したニュース記事が掲載されているページを、重要語句の後ろに表記しています。

ア

【iPS細胞】（▶P80）

皮膚などの体細胞に遺伝子操作を加えてつくる万能細胞。神経、筋肉など体のさまざまな組織や臓器に成長できる。京都大学の山中伸弥教授のグループが世界に先駆けてつくり、山中教授は2012年ノーベル生理学・医学賞を受賞した。ES細胞など他の万能細胞と違い、量産可能なので、難病などの再生医療の分野での活用が期待されている。2014年、目の難病患者の手術に初めてiPS細胞が用いられた。2020年１月には、重症心不全患者に移植され、心臓への移植は世界初。

【アメリカ大統領選挙】（▶P38～41）

アメリカの大統領を決める選挙で、４年に１度実施される。任期は１期４年で、最大２期まで。アメリカ大統領選挙には２つの段階がある。ひとつは、民主党・共和党の両党の候補者を１人に絞り込む予備選挙（州によっては党員集会）。２月に始まり６月まで約４か月間にわたって、各州で行われる党員による投票で、代議員の取り合いを続けていく。最終的には代議員の過半数を獲得した人が、夏に開かれる各党の全国党大会で、両党の大統領候補として正式に指名される。もうひとつは本選挙で、両党の候補者同士が大統領をかけて争う。州ごとに行われる一般投票で、各州に割り当てられた選挙人を獲得していき、多数を得た政党がその州の選挙人を総取りする形がほとんど。ここで事実上、新大統領が決定する。本選挙は「11月の第１月曜日の翌日の火曜日」に決まっているため、2020年は11月３日に行われる。2020年９月現在、現職のトランプ大統領（共和党）とバイデン前副大統領（民主党）との争いになる。

【欧州連合（EU）】（▶P42～43）

1993年に発足した、ヨーロッパ27か国による国家連合体。本部はベルギーのブリュッセル。2013年にクロアチアが28番目の加盟国として加わった。2020年１月にイギリスが離脱し、イギリスは移行期間に移った（2020年12月31日まで）。EUは2012年にノーベル平和賞を受賞。統一通貨のユーロは1999年より導入され、デンマーク、スウェーデンなどを除く19か国で使用されている（2020年７月現在）。

カ

【外来生物】（▶P76～77）

外国から日本に持ちこまれた生物のこと。特に生態系や人、農林水産業に被害をおよぼすものを特定外来生物に指定し、輸入や飼養、野外へ逃がすことを禁止している。環境省が定める特定外来生物には、アライグマ、カミツキガメなど148種が指定されている（2020年７月現在）。

【核兵器禁止条約】

2017年７月に採択された、核兵器の開発・保有・使用などを禁止する国際条約。この条約は50か国が批准して90日後に発効するが、2020年９月30日現在の批准国は46か国。核保有国は参加していない。アメリカの「核の傘」の下にある日本は不参加の考えを崩していないが、被爆国である日本に対しては条約への参加を求める声が強い。

【仮想通貨】

実物はなく、インターネット上だけで取り引きされるデジタル通貨の一種。手軽に送金や決済ができ、また世界中で使えるため、国を越えてのお金のやり取りに便利。国や中央銀行の管理を受けないため、その価値は需要と供給のバランスによって決まる。ビットコインやイーサリアムをはじめ、数千種類が存在するとされる。日本では、2019年５月に改正資金決済法が成立、2020年５月の施行にともない、法令上、仮想通貨を「暗号資産」と呼ぶことになった。

【活断層】（▶P70～73）

断層（地層に力が加わって割れ、その割れた面に沿って両側の地層がずれたもの）のうち、新生代第四紀（約260万年前～）に活動した形跡があり、今後も動いて地震を起こす可能性がある断層のこと。日本では2000か所以上の活断層が発見されており、大きいものは長さ100㎞に及ぶ。

【観光庁】

2008年に国土交通省の外局として発足した、観光行政を担当する機関。観光立国の実現に向けて国際的に魅力ある観光地をつくり、日本の魅力を海外に発信し多くの外国人観光客を呼び込み、地域活性化を進めることを目的とする。

【環太平洋経済連携協定(TPP)】(▶P24～27)

太平洋を囲む多国間で、輸入関税の撤廃を中心に人やサービスの移動も含む包括的な自由化をめざす協定。2005年に4か国で締結したあと、アメリカや日本など8か国が交渉に加わり、2013年に12か国となった。交渉は参加各国の利害の調整に困難を極めたが、2015年10月に大筋合意し、翌年2月に協定に署名が行われた。しかし、2017年1月にはトランプ米大統領がTPPからの離脱を表明。残る11か国は2018年3月にアメリカ抜きで協定を結び直した(「TPP11」)。2020年7月時点でTPPを発効した国は、メキシコ、日本、シンガポール、ニュージーランド、カナダ、オーストラリア、ベトナムの7か国。

【きぼう】(▶P78～79)

国際宇宙ステーション(ISS)に設置されている日本初の有人実験棟。2009年に完成。船内実験室と船外実験プラットフォームなど6つの要素からできている。

【緊急地震速報】(▶P70～73)

気象庁が、企業や役所、一般家庭などに、テレビ・ラジオなどを通じて可能な限り素早く知らせる地震発生情報。各所に設置された地震計が最大震度5弱以上の揺れを予測すると自動的に速報が流れる。揺れ始める前に備えることで被害を減らすことがねらいである。震源から距離があれば数秒か、それ以上前に速報が出るが、震源に近い地域では間に合わないという限界がある。

【緊急事態宣言】(▶P18～21、P32～33)

国が危機に陥ったとき、国民の生命と健康を守り、国民生活や経済に及ぼす影響を最小とすべく発令される。日本では、新型コロナウイルス感染症の急速な蔓延を防ぐため、国が行った施策のひとつ。新型コロナウイルス対策の特別措置法(特措法)に基づき、2020年4月7日に7都府県に、16日には全国を対象に発令された。都道府県の知事は、不要不急の外出自粛や各種施設の使用停止などを要請できる。特措法を根拠とする宣言の発令は初めて。緊急事態宣言は5月14日に39県で解除、5月25日に全県で解除された。

【経済連携協定(EPA)】(▶P42～43)

国・地域間で関税をなくし、モノやサービスのより自由な貿易を進める国際協定を自由貿易協定(FTA)という。FTAの内容に、人の移動や投資、知的財産の保護など、幅広い分野での経済関係の強化を加えた協定がEPA。日本との間で2020年7月現在、EPAが発効した国・地域は17、署名済みは1。

【合計特殊出生率】(▶P52～53)

一人の女性が平均で一生の間に何人の子どもを産むかを表す指標。2019年は前年比0.06ポイント減の1.36と4年連続で低下し、人口維持に必要とされる2.07を大きく下回った。都道府県別では沖縄県が1.82と最も高く、最低は東京都の1.15だった。

【高齢社会】(▶P52～53)

国連の統計などでは、65歳以上の人の割合が全体の7%を超えると高齢化社会、14%を超えると高齢社会、21%を超えると超高齢社会と定義している。日本は1994年に高齢社会、2007年に超高齢社会となった。少子化とあわせて、年金、医療、介護など社会保障をどう支えていくか、深刻な問題になっている。

【国際宇宙ステーション(ISS)】(▶P78～79)

地球から約400kmの宇宙空間にある有人の実験施設。地球や天体の観測、宇宙での実験や研究を行う。日本、アメリカ、ロシア、ヨーロッパ各国など世界15か国が参加している。

【国際連合(国連)(UN)】(▶P58～60)

世界平和と国際問題の解決に向けて活動する国際機構で、193か国が加盟(2020年7月現在)。主要機関には総会、安全保障理事会などがある。事務総長は2017年1月から元ポルトガル首相のアントニオ・グテーレス氏が務めている。イラン問題で焦点となった国際原子力機関(IAEA)、難民問題を扱う国連難民高等弁務官事務所(UNHCR)、世界貿易機関(WTO)など、多くの国際機関がある。

【国事行為】(▶P32～33)

天皇が行うものとして日本国憲法で定められている行為。具体的には、憲法改正・法律などの公布、国会の召集、衆議院の解散、内閣総理大臣や最高裁判所長官の任命など。その行為は、政治(統治)には関係のない形式的・儀礼的なもので、内閣の助言と承認を必要とし、その責任は内閣が負う。天皇の代替わりに伴う儀式としては、2019年4月30日の天皇陛下の「退位礼正殿の儀」、翌5月1日の新天皇の「剣璽等承継の儀」「即位後朝見の儀」をはじめ、「即位礼正殿の儀」「饗宴の儀」「祝賀御列の儀」が国事行為として行われた。

【国内総生産(GDP)】(▶P24～27、P34～35)

国の経済力を示す指標のひとつ。国内で1年間に生産されたモノやサービスの総額。世界でGDPが最大の国はアメリカで、中国、日本がこれに続く(2019年)。

【国民投票】（▶P32～33）

国の重要な政策などの決定のために、国民の意思を賛否の投票で確認すること。日本国憲法では、国民投票の定めがあるのは憲法改正の際のみである。2014年６月には憲法改正のための国民投票に関する手続きを定めた改正国民投票法が成立、投票権年齢を施行から４年後に「20歳以上」から「18歳以上」に引き下げることなどが決まった。

【国連難民高等弁務官事務所（UNHCR）】（▶P44～45）

戦争などで、迫害を受けたり、経済的困窮に陥ったりした難民の保護と支援を行うために、1950年に設立された国連の機関。本部はスイスのジュネーブ。1954年と1981年にノーベル平和賞を受賞。2019年末時点のUNHCRの支援対象者は世界全体で約8650万人。

サ

【再生可能エネルギー】（▶P46～47）

石油や天然ガスなどの限りある資源と異なり、自然界で起こる現象から生み出され、何度利用しても再生が可能なエネルギーのこと。風力、太陽光、地熱、中小規模水力、波力などがある。二酸化炭素をほとんど出さない一方で、導入費用が高い、天候などに左右されやすく発電量が不安定であるといった問題もある。

【シェールオイル】（▶P46～47）

頁岩（シェール）という泥岩の層に閉じ込められている原油のこと。頁岩層は地下深くにあることなどから採掘が困難だったが、技術革新によって生産が容易になった。採掘可能な埋蔵量は原油の総埋蔵量の約１割を占め、アメリカ、ロシアをはじめ、中国などに広く分布している。アメリカは2019年の原油生産量は世界１位だが、これはシェールオイルの生産拡大による。

【少子化】（▶P52～53）

出生率が低下して子どもの数が少なくなること。2020年４月１日現在、日本の総人口に子ども（15歳未満）の占める割合は12.0％と、46年連続の低下で過去最低になった。今後も低下が続き、2025年には11.5％、2030年には11.1％となる見込み。このように人口のバランスが崩れると、経済が停滞し税収が減少する一方、年金や医療など社会保障費は増大するという問題が起こる。政府は、働き方の見直しや地域の子育て支援など少子化を食い止める対策を進めている。

【消費税】（▶P24～27、P34～35）

商品を購入したりサービスの提供を受けたりする際にかけられる税金。間接税のひとつで、消費者が負担し、事業者が納税する。日本で導入されたのは1989年。当初は３％だったが、1997年に５％に引き上げられた。その後長く据え置かれたが、増税分をすべて社会保障費の財源にするという法律が成立し、2014年４月に８％に引き上げられた。2015年10月に増税予定だったが、２度の延期を経て、2019年10月に10％に引き上げられた。この増税では、食料品などの税率を８％に据え置く軽減税率が導入され、キャッシュレス決済へのポイント還元（期間は９か月限定）が行われた。

【食品ロス】

まだ食べられるのに捨てられる食べ物のこと。売れ残りや食べ残し、期限切れなど要因は多様だが、日本では年間約612万トン（2017年度推計）が廃棄されている。こうした食品ロスを減らそうと、食品ロス削減推進法が2019年５月に成立、10月に施行された。

【食料自給率】

国全体で消費する食料がどの程度自国の生産でまかなえているかを示す割合。2019年度の日本の食料自給率（カロリーベース）は前年より１ポイント増の38％となった。カナダ、アメリカ、フランスなどおもな先進国と比べると、日本の食料自給率はきわめて低い。

【新型コロナウイルス】（▶P18～21、P34～35）

コロナとはギリシャ語で「王冠」の意味。ウイルスの形が王冠に似ていることから名付けられたと言われている。コロナウイルスには複数の種類があり、今回のコロナウイルスは新しいタイプ。くしゃみやせきなどのしぶきからうつる飛沫感染と、ウイルスがついているものを触った手で鼻や口を触ってしまうことでうつる接触感染がある。感染すると、発熱やせき、息苦しさ、味覚障害などの症状が出る。新型コロナウイルスが原因となった感染症は、2019年12月に中国の武漢市で発生し、中国全土に拡大。その後、短期間で全世界に広がり、感染者数は2020年９月末時点で3300万人を超える。

【スポーツ庁】（▶P30～31）

これまで多くの省庁に分散していたスポーツ関連の責任と権限を集中させ、効率的な行政を行う専門機関。文部科学省の外局として2015年10月１日に設置された。初代長官には、ソウルオリンピック競泳背泳ぎの金メダリスト・鈴木大地氏が就任。2020年10月１日よりアテネオリンピック金メダリスト室伏広治氏が２代目のスポーツ庁長官に就任。幅広いスポーツの振興を目標に掲げており、国際競技力の向上から学校の部活動、国民の健康増進まで、スポーツ全体の政策を担う。

【政府開発援助（ODA）】

先進国の政府が発展途上国の経済や社会の発展、福祉の向上のために行っている協力のこと。相手の国に直接援助する二国間援助と、国際機関を通じて世界の国々と一緒に援助を行う多国間援助がある。二国間援助は、無償資金協力（お金をあげる）、有償資金協力（お金を貸す）、技術協力（技術を教える）の３種類。

【世界遺産】（▶P14〜15、P48〜49）

ユネスコ（UNESCO：国連教育科学文化機関）の世界遺産条約に基づき、世界的に重要な遺産として「世界遺産リスト」に登録されたもの。自然、文化、複合の３分野がある。2019年には「百舌鳥・古市古墳群」（大阪府）が登録された。日本からの登録は2013年から７年連続で23件目。

【尖閣諸島】（▶P36〜37）

沖縄県石垣市に属し、八重山列島の北に点在する無人島群。周辺の海底に地下資源のあることがわかり、1970年代に台湾と中国が領有権を主張し始めた。2012年９月に日本政府が魚釣島、北小島、南小島の３島を国有化し、これに反発した中国は非武装船による領海侵犯を繰り返している。

【線状降水帯】（▶P70〜73）

連続して発生した積乱雲が幅20〜50km程度、長さ50〜300km程度にわたって一列に連なった、強い降水をともなう雨域のこと。ひとつの積乱雲は30〜60分で消える。ひとつだけなら雨量に限りがあるが、同じ場所で次々と新たな積乱雲が発生するため、長い時間強い雨が降り続き、とてつもない雨量となる。「令和２年７月豪雨」では多くの線状降水帯が発生し、大規模な大雨災害をもたらした。

タ

【待機児童】（▶P52〜53）

自治体が認可する保育施設に入れない子ども。その数は2019年４月時点で約１万7000人と前年より減少しているが、認可施設に入れないため、やむを得ず認可外施設に入ったり、保護者が育児休業中であったりするなどの理由から集計されない「隠れ待機児童」を含めると、前年から約3000人増えて９万人を超える。政府が2017年６月にまとめた待機児童対策「子育て安心プラン」では、2020年度末までに待機児童をゼロにするとしている。

【東京2020オリンピック・パラリンピック】（▶P30〜31）

日本の東京で、2021年７月23日に開幕する第32回夏季オリンピック（〜８月８日）。2020年７月から開催の予定だったが、新型コロナウイルスの世界的拡大を受け、１年間延期された。今大会では延期前と変わらない９都道府県42会場、過去最多の33競技339種目が行われる予定。コロナ禍での開催にあたり、大会の簡素化、聖火リレーの期間短縮などが検討されている。なお、第16回夏季パラリンピックも同様に延期され、2021年８月24日〜９月５日の開催予定。

【トランプ大統領】（▶P1、P38〜41）

第45代アメリカ合衆国大統領。2016年の大統領選挙において共和党候補として、民主党候補のヒラリー・クリントン氏に勝利し、2017年１月に就任した。「地球温暖化はでっちあげ」「フェイクニュースはアメリカ人の敵だ」など暴言が多いことでも有名。政策面ではアメリカの利益を優先する「アメリカ第一主義」を提唱。国内の雇用を取り戻し、産業を復活させるとしてTPPから離脱し、アメリカの製造業の競争力を下げるからとパリ協定からの離脱を発表するなど、オバマ前政権からの政策を次々と転換している。2020年11月に行われる大統領選挙で再選をめざしている。

ナ

【南海トラフ】（▶P70〜73）

静岡県の駿河湾から九州東方沖にかけて太平洋の海底に広がる水深4000ｍ級の深い溝（トラフ）を指す。非常に活発で大規模な地震発生帯として知られている。この場所を震源とした東海地震、東南海地震、南海地震の３つが同時に起きると想定されている最大規模の地震を、南海トラフ巨大地震という。

【熱中症】

高温や多湿の環境で、体内の水分や塩分のバランスが崩れ、体温が上昇するなどして起こる障害のこと。めまいや失神、疲労感、吐き気などの症状が出て、重症になると死に至る場合もある。外出するときは帽子をかぶる、こまめに水分と塩分をとり、休憩するなどの予防が必要。気象庁は、翌日または当日の最高気温がおおむね35℃以上になると予想される場合に「高温注意情報」を発表している。また気象庁と環境省は、暑さ指数（WBGT：気温・湿度・日差しを取り入れた指標）が33℃以上と予測される地域に「熱中症警戒アラート」を発信し、熱中症への注意を呼びかけている。「熱中症警戒アラート」は2020年度に関東甲信地方で先行実施し、2021年度から全国へ展開する予定。

ハ

【排他的経済水域（EEZ）】

沿岸から12海里（約22㎞）までが沿岸国の領海。その外側にあって、海岸線から200海里（約370㎞）までの海を排他的経済水域という。この水域での水産資源や地下資源の開発や採掘をする権利は、沿岸国に認められている。

【働き方改革】（▶P24～27）

安倍政権が成長戦略の中核として位置づける政策。誰もが活躍できる「一億総活躍社会」を実現するための雇用・労働政策として提唱された。多様で柔軟な働き方を可能にするとともに、中間層の厚みを増しつつ、格差の固定化を回避し、成長と分配の好循環を図ることがねらい。2017年３月に実行計画がまとめられ、2018年６月に労働基準法など８本の法律を一括して改正した働き方改革関連法が成立。関連法には残業時間の罰則付き上限規制、同一労働同一賃金、高収入の一部専門職を労働時間の規制から外す「高度プロフェッショナル制度」、従業員に年間５日以上必ず有給休暇を取得させることを会社側に義務付ける、などが盛り込まれた。2019年４月から順次施行されている。

【はやぶさ2】（▶P78～79）

小惑星探査機「はやぶさ」の後継機。2014年12月に種子島宇宙センター（鹿児島県）から打ち上げられた。目的は小惑星「Ryugu（リュウグウ）」を探査し、地表や地中から物質を採取して持ち帰ること。「リュウグウ」には生命に関わりのある水や有機物が多く含まれていると考えられていることから、地球誕生の謎や生命の起源を探るヒントが得られると期待されている。「はやぶさ２」は2018年６月に「リュウグウ」に到着、2019年２月には着陸に成功し、表面の岩石を採取した。また、２回目の着地に成功した７月には、これより３か月前、人工クレーターを作ったときに飛び散った、地下にある岩石のかけらの採取にも成功している。「はやぶさ２」は2020年12月に地球に帰還する予定。

【パリ協定】（▶P46～47）

2020年以降の地球温暖化対策の枠組みを定めた国際ルール。2015年にフランスのパリで行われた「国連気候変動枠組条約第21回締約国会議（COP21）」で採択された。協定では、気温上昇を産業革命前に比べて「２度未満」に抑えるために、温室効果ガスの排出を今世紀後半までに「実質ゼロ」にすることを目標として打ち出している。なお、2019年11月、アメリカのトランプ大統領は国連に対して「パリ協定」からの離脱を通告し、１年後に正式に離脱することになった。

【ヒートアイランド現象】（▶P74～75）

都市部の気温が周囲と比べて高くなる現象。気温分布を描くと等温線が都市部を中心に島のようになることからこの名がついた。冷暖房や車の排気熱の増加、アスファルトやコンクリートに熱がたまることなどが原因とみられる。この現象により、熱中症の多発、局地的な集中豪雨、光化学オキシダントの発生、生態系の変化などの影響があるといわれている。

【復興庁】（▶P22～23）

2011年３月11日に発生した東日本大震災の被災地の迅速な復興に向けて、2012年に発足した行政機関。複数の省庁にまたがる課題をとりまとめ、復興政策を一元的に統括することを目的とする。2020年度末で廃止の予定だったが、2030年度末まで延長して存続される。

【普天間飛行場】（▶P24～27）

沖縄県宜野湾市の住宅密集地にあるアメリカ軍海兵隊の飛行場。「世界一危険な基地」と呼ばれている。2004年には近くの大学に軍のヘリコプターが墜落する事故が起きるなど、早期移転が課題とされてきた。日米政府は2006年に沖縄県名護市辺野古のキャンプ・シュワブに移設することで合意したが、辺野古でも反対運動が起き2009年に鳩山首相（当時）が「最低でも県外」と移転先の見直しを示唆するなど混乱が続いたが、ほぼ元の案に戻った。2013年には当時の沖縄県知事が辺野古埋め立てを承認したが、その後就任した翁長沖縄県知事（当時）は徹底抗戦の構えを見せ、2015年10月には辺野古埋め立て承認を正式に取り消した。以降も、辺野古埋め立てを承認するか否かについて、国と沖縄県の争いが続いている。その後2018年９月の沖縄県知事選では、辺野古移転反対を訴えた玉城デニー氏が当選。2019年２月には県民投票が行われ、埋め立て反対が70％超と、「辺野古ノー」の民意が示されたが、政府は辺野古移設の立場を崩していない。

【プラスチックごみ】(▶P50～51)

狭義では、プラスチック製の、使い捨てられたレジ袋やペットボトル、ストロー、食品トレーなどをいう。プラスチックごみは海に流れて海を汚染し、海の生態系にも深刻な影響を与えていると考えられている。そのため世界各国でプラスチックごみを削減する取り組みが始まっており、たとえばEUでは、2019年５月に10種類の使い捨てプラスチック製品の流通を2021年までに禁止する「プラスチック指令」を採択した。日本ではプラスチック製レジ袋を原則有料化するため、2019年12月に容器包装リサイクル法の省令を改正した(2020年７月施行)。

【ふるさと納税】

ふるさとや応援したい自治体に寄付ができる制度。都市と地方の税収の格差を是正するため、2008年に導入された。使い道が指定でき、寄付金の2000円を超える部分については所得税や住民税から控除される。自治体によっては地域の特産品などが返礼品として贈られることがあるが、豪華な返礼品で寄付を集める自治体もあり問題になっていた。2019年３月には過度な返礼品競争を防ぐため、ふるさと納税制度を見直す改正地方税法が成立。総務省は、返礼品を「寄付額の３割以下の地場産品」に限るとする基準を満たした地方自治体だけを制度の対象として指定し、事前審査する。

【文化庁】

文化の振興や普及、文化財の保存や活用、国際文化交流、宗教に関する行政事務を担う行政機関。文部科学省の外局の一つである。2017年４月１日、京都への全面的移転の先行組織である、政策立案拠点「地域文化創生本部」が発足。地域に仕事と人の好循環を作り出し、東京一極集中の是正を目的として政府が進める、省庁移転の第１号となった。本格移転は2022年夏以降。

【米中貿易摩擦】(▶P38～41)

自国産業の保護と貿易赤字の削減をめざすトランプ米大統領は、2018年７月、中国からの輸入品に制裁課税を発動。これに対抗して、中国が米国製品に報復関税を課したことで、米中貿易摩擦が本格化した。同年12月からは一時休戦し貿易協議を行うが決裂、米中の貿易摩擦は一段と激化することになった。2019年５月にはアメリカが、中国製品にかけている追加関税を引き上げ、さらに全輸入品を対象に関税を上乗せするなど強硬策で対抗。一方、中国も米国製品の一部に追加関税を課すという報復措置に出るなど、泥沼化の様相を呈した。その後、再び一時休戦で合意し、７月には貿易協議を再開したが進展は見られず、以降も米中貿易摩擦は続いた。しかし、2020年１月になって米中両国は貿易協議の「第一段階」と呼ばれる部分合意の文書に署名し、貿易摩擦は、ひとまず緊張緩和に向かっている。

【香港】(▶P36～37)

中国広東省の南岸に隣接し、香港島・九竜・新界およびその周辺の島々からなる特別行政区。第二次世界大戦後イギリスの植民地だったが、1997年に中国に返還された。そのときの約束で、特別行政区として、中国とは違う独自の法律が適用される「一国二制度」が認められた。しかし、最近は「一国二制度」が揺らいでいる。2019年には中国で法を犯して香港に逃げた者の中国への引き渡しを可能にする「逃亡犯条例」の改正を提示(市民が反発しデモが多発、のちに撤回)。さらに、2020年６月には、香港での反体制的言動を取り締まる「香港国家安全維持法」を成立、施行させるなど、中国の香港への統制が強まってきている。

マ

【無形文化遺産】(▶P48～49)

ユネスコ(UNESCO：国連教育科学文化機関)の無形文化遺産保護条約に基づき登録される、世界的に価値のある芸能、口承伝統、伝統工芸技術などの形のない文化遺産。近年では2016年に「山・鉾・屋台行事」、2018年に「来訪神：仮面・仮装の神々」が登録された。このほかに「能楽」「人形浄瑠璃文楽」「歌舞伎」など、日本の無形文化遺産は計21件(2020年７月現在)。

【猛暑日】(▶P74～75)

１日の最高気温が35℃以上になる日のこと。2007年に気象庁が天気予報などで使用する新しい語句として、それまでの夏日(最高気温25℃以上)、真夏日(最高気温30℃以上)、熱帯夜(夜間最低気温25℃以上)などに加えた。

ラ

【ラニーニャ現象】(▶P74～75)

ペルー沖の太平洋赤道付近で海水の温度が低くなる現象。逆に高くなる現象を「エルニーニョ現象」という。遠い日本の気候とも相関性があり、ラニーニャの場合、夏は暑く、冬は寒い傾向があり、エルニーニョのときには、夏～秋が冷涼で暖冬になりやすい。

【ラムサール条約】（▶P76〜77）

正式名称は「特に水鳥の生息地として国際的に重要な湿地に関する条約」。1971年に世界の湿地を守るため、イランのラムサールで採択された。2020年７月現在、日本の登録湿地は釧路湿原、クッチャロ湖、琵琶湖、尾瀬など52か所。2018年に葛西海浜公園（東京都）、志津川湾（宮城県）が登録された。

【令和】（▶P24〜27）

平成に代わる新元号。新天皇の即位に伴い、2019年５月１日に施行された。「令和」の出典は日本最古の歌集『万葉集』。引用されたのは、梅花の歌、三十二首の序文にある「初春の令月にして気淑く風和ぎ　梅は鏡前の粉を披き　蘭は珮後の香を薫らす」という一文で、この中から「令」と「和」の漢字を採用している。645年の「大化」以降248番目の元号だが、和書（日本の古典）が出典となったのは初めて。

【レジ袋有料化】（▶P50〜51）

プラスチックごみ削減に向けた取り組みのひとつ。2019年12月の容器包装リサイクル法の省令改正にともない、2020年７月１日からすべての小売店でプラスチック製レジ袋の有料化が義務付けられた。地球規模で問題となっているプラスチックごみによる海洋汚染や地球温暖化などが注目されるなか、身近なレジ袋の有料化をきっかけに、国民が使い捨てプラスチックに頼るライフスタイルを見直すことをめざしている。

【レッドリスト】

絶滅のおそれのある野生生物のリストで、危険度に応じてランク分けされている。レッドリストをもとに生息状況などを詳細にまとめたものをレッドデータブックという。最初のレッドデータブックはIUCN（国際自然保護連合）が作成。その後、各国の政府や自治体でも独自に作られるようになった。日本の絶滅危惧種では、アオウミガメ、ヤンバルクイナ、コウノトリ、ニホンウナギなどが有名。2020年の環境省レッドリストでは13分類群における絶滅危惧種は合計3716種。

ワ

【ワシントン条約】（▶P76〜77）

正式には「絶滅のおそれのある野生動植物の種の国際取引に関する条約」。国際取引を規制することで、野生動植物の過度の採取や捕獲を抑え、絶滅のおそれから守ることを目的とする。締約国は182か国およびEU（2020年７月現在）。

注意したいカタカナ時事言葉

新型コロナウイルス関連

【クラスター】（▶P18〜21）

もとの意味は「同種のものや人の集まり。群れ。かたまり」。新型コロナウイルス関連の話題では、小規模な「集団感染」や、それによってできた「感染者の集団」を指す。規模的には感染経路が追えている数人から数十人程度。特定の場所・グループ内におけるクラスター発生を「クラスター化」、クラスターまたは１人の感染者が、別の場所で感染を広げ、新たなクラスターを生み出すことを「クラスター感染」と呼んでいる。

【ソーシャルディスタンス】

日本語では、社会的距離という訳語をあてている。コロナウイルスの感染経路の一つである飛沫感染は、くしゃみや咳によるしぶきによるもの。このくしゃみや咳によるしぶきが到達する距離が、くしゃみで３m、咳で２mといわれている。厚生労働省では、保つべき距離として、相手と２m程（最低でも１m）取ることを推奨している。

【テレワーク】（▶P34〜35）

「tele（遠く離れた）」と「work（働く）」を合わせた造語で、政府が推進する働き方改革のひとつ。ICT（情報通信技術）を使い、自宅や外出先など勤め先以外の場所で働くこと。時間や場所にしばられず柔軟に働くことができるため、育児や介護離職の緩和、通勤ラッシュの緩和につながると期待されている。また、新型コロナウイルスの拡散を防ぐ対策として、「３密」を避け人と人との接触機会を減らす観点から、テレワークの積極的活用が求められている。なお、企業のテレワーク導入率は2019年で約19％。リモートワークともいう。

【パンデミック】（▶P18〜21）

同じ感染症が短期間に、世界的に大流行すること。語源はギリシャ語で、パンは「すべて」、デミアは「人々」を意味する。「感染爆発」などともいい、国境を超えて感染が広がり、コントロール不能になった状態を指す。WHO（世界保健機関）は2020年３月、新型コロナウイルスについて「パンデミックとみなせる」と表明した。パンデミックの表現を使うのは2009年の新型インフルエンザ以来。なお、感染症の流行は規模に応じ、エンデミック（特定の地域）、エピデミック（広域ないし国内）、パンデミック（世界的で大規模）と使い分けられている。

【ロックダウン】（▶P18～21）

新型コロナウイルスを巡っては、「都市封鎖」の意味で使われている。政府の専門家会議の提言では、「一定期間都市を封鎖したり、強制的な外出禁止や、生活必需品以外の店舗閉鎖などを行う措置」と記述。

政治・経済

【インバウンド】

「外から中に入る」という意味。主に観光・旅行分野で使われ、外国人が日本を訪問する旅行を指す。広い意味では、日本を訪れる外国人観光客をいう。

【サイバーテロ】（▶P56～57）

コンピュータシステムに侵入し、重大な情報やデータを破壊したり盗んだりすること。特に、政府機関やインフラ事業者など国民生活に甚大な被害を与える悪質なものを指す。

【フェアトレード】

開発途上国の原料や製品を、対等な条件下の正当な値段で、継続的に取り引きすること。立場の弱い生産者の生活改善と自立支援が目的。「公正な貿易」と訳される。

【ヘイトスピーチ】

特定の人種や民族などへの主観的・一方的な憎しみにもとづき、暴力や差別をあおったり、おとしめたりする言動のこと。「差別的憎悪表現」ともいう。

生活・環境

【エコドライブ】

急発進・急ブレーキ、無駄なアイドリングをやめるなどして燃料の節約に努め、自動車から排出される大気汚染物質の量を減らす、環境に配慮した運転・心がけのこと。

【パワーハラスメント（パワハラ）】

職場などで、立場の強い人が弱い人に対して、精神的、身体的苦痛を与えること。「ハラスメント」は「嫌がらせ、いじめ」の意味。

【ビッグデータ】

通常のコンピュータでは処理できないほどの、種類が豊富で、頻繁に更新される大量のデータ群。

【ファクトチェック】

社会に発信された情報や言説が、正確かどうかを調べ、信用度を評価すること。ジャーナリズム手法のひとつで、「真偽検証」とも呼ばれる。

【フードドライブ】

家庭で使われずに余っている食品を学校、地域などに持ち寄り、それらをまとめて福祉団体や子ども食堂などに寄付する活動。

【フードバンク】

品質に問題はないのに包装のミスなどを理由に破棄されてしまう食品を企業などから寄付してもらい、それを必要とする福祉施設などに無料で提供する団体・活動のこと。

【ユニバーサルデザイン】

性別や年齢（ねんれい）、障（しょう）がいの有無にかかわらず、だれにとっても使いやすいものや、動きやすく居心地のよい環境（かんきょう）をつくり出すことをいう。「バリアフリー」の考え方と共通し、シャンプーの容器についているギザギザの印やノンステップバスなどがこれにあたる。

【ロードプライシング】

交通混雑の激しい都心部などに乗り入れる自動車に対して料金を課すことにより、その地域の交通量を抑制し、混雑緩和や大気汚染の改善を図ろうという施策。

【ワーク（・）ライフ（・）バランス】

一人ひとりが希望するバランスで、仕事と仕事以外の生活の場でうまく調和を図り、どちらも充実させる生き方。または、それを実現させるための取り組み。

注意したいアルファベット略語

【AI（人工知能）】（▶P54〜55）

人間の頭脳と同じ様に言葉を理解したり、判断や推論、学習をしたりする、現在テクノロジーの領域で注目されている技術。

【APEC（アジア太平洋経済協力会議）】

1989年に発足した、太平洋を取り囲む21の国・地域が参加する経済協力の枠組み。

【BRICS（ブラジル〈B〉、ロシア〈R〉、インド〈I〉、中国〈C〉、南アフリカ共和国〈S〉）】

経済成長が著しいブラジル、ロシア、インド、中国、南アフリカの新興５か国をいう。５か国の英語の頭文字をとってこう呼ばれる。

【COP（締約国会議）】

1992年の地球サミットで採択された国連気候変動枠組条約における締約国会議などが有名。

【EV（電気自動車）】（▶P46〜47）

電気をエネルギー源とする自動車。走行時に二酸化炭素や窒素酸化物などの大気汚染の原因となる物質を排出しないなどの特徴を持つ。

【IOC（国際オリンピック委員会）】（▶P30〜31）

夏季と冬季のオリンピックを主催する団体で、オリンピックに参加する各種国際スポーツ団体を統括する組織。本部はスイスのローザンヌ。

【LCC（格安航空会社）】

効率的な運営やサービスの簡素化などにより低価格の運賃で運航する航空会社。

【LGBT（性的少数者〈セクシャルマイノリティ〉の総称）】

自分の性別に対する考えなどが多数派とは異なる人たちのこと。レズビアン、ゲイ、バイセクシャル、トランスジェンダーの英語の頭文字をとってこう呼ばれる。現在、LGBTの人権を尊重し、差別や偏見をなくすための取り組みが始まっている。

【NPT（核拡散防止条約）】

核兵器の拡散を防ぐことを目的にした条約。核兵器保有国以外への核兵器の拡散を防止し、原子力の平和的利用のための協力を促進する。日本は1976年に批准。

【PKO（国連平和維持活動）】（▶P32〜33）

国連の実施する平和維持活動。停戦合意成立後の紛争防止のため、停戦の監視、復興・復旧援助などの活動を行う。

【SDGs（持続可能な開発目標）】（▶P50〜51）

よりよい世界をめざす国際目標のことで、2015年の国連サミットで採択された。17のゴール（国際目標）、169のターゲット（具体目標）から構成されている。

【SNS（ソーシャル・ネットワーキング・サービス）】（▶P56〜57）

Social Networking Serviceの略。フェイスブックやツイッターなど、文章や写真、動画を友人・知人とシェアしたり、不特定多数の人に発信したりできる会員制サービス。

【TICAD（アフリカ開発会議）】

1993年に日本が立ち上げたアフリカ諸国の社会、経済の持続的な発展について話し合う枠組み。2019年８月には、横浜で第７回アフリカ開発会議が開催された。

【WFP（世界食糧計画）】（▶P80）

1961年に設置された国連機関。本部はイタリアのローマ。世界各地で食糧支援を行っており、飢餓対策などが評価され、2020年のノーベル平和賞に選ばれた。

【WHO（世界保健機関）】（▶P1、P18〜21）

保健衛生の分野での国際協力を目的として、1948年に設立された国連機関。病気撲滅に向けた取り組み、医療・医薬品の普及、災害時の緊急対策、人口問題の研究など、活動は多岐にわたる。例えば、2020年の新型コロナウイルスのような感染症が発生したとき、先頭に立ち世界的な対応を推し進める。本部はスイスのジュネーブ。

［写真・資料提供］

時事通信フォト　EPA＝時事
AFP＝時事　dpa/朝日新聞社

［参考文献］

日本国勢図会2020/21（矢野恒太記念会）
世界国勢図会2020/21（矢野恒太記念会）
日本のすがた2020（矢野恒太記念会）
朝日キーワード2021（朝日新聞出版）
理科便覧（浜島書店）
新詳日本史（浜島書店）
（順不同）